JN084638

CEFR-CV とことばの教育

櫻井直子・奥村三菜子

くろしお出版

はじめに

—筆者らがCEFRと出会ってから本書を執筆するまで—

2001年にCEFRが公開された当時、筆者らにはまだ面識はなく、それぞれの教育現場で、それぞれにCEFRを手に取っていました。CEFRを手にしたきっかけや動機、そのとき抱えていた問題意識は両者異なっていたものの、CEFRを参照した実践を試みていく中で出会いの機会があり、互いの教育実践に興味を持つようになりました。そのうち、CEFRを参照した実践を通して、CEFRの教育現場への文脈化に関心を持つ国や機関を越えた多くの教師たちと知り合い、思いや悩みを共有し、協働活動が生まれ、その成果の一つとして2016年に『日本語教師のためのCEFR』（奥村・櫻井・鈴木 編著，くろしお出版）を出版いたしました。

その後、筆者らはそれぞれの教育現場で言語教育と向き合いながら、CEFRで最も重要な言語活動と位置づけられた「仲介」をどのように理解し、教室活動に結び付けていくのか、試行錯誤を繰り返していました。2018年にCEFR-CVの試行版が公開されると、早速、更新された「仲介」の箇所を各々で読み始めました。ですが、抽象的な記述も多く、理解はしたものの、その理解が本当に正しいのかどうか自信が持てずにいました。そんな折、たまたま互いにCEFR-CVの理解に苦しんでいることを知り、一緒にCEFR-CVの全文を読むことにしました。分担して翻訳し、月に一度、内容と解釈を確認しながら意見交換を重ね、1年間をかけてゆっくりと読み進めていきました。まずはCEFR-CVとCEFRとの関係性を理解することから始め、必要に応じてCEFR-CVの背景となる論文も参照しながら行われたこの作業は、日常の業務から離れた楽しい時間でもありました。

その作業がひと段落した頃、「欧州日本語教育研修会」（国際交流基金パリ日本文化会館主催）において、2020年には「Mediation（仲介）から考える日本語教育実践」というテーマで櫻井が、2021年には「CEFR Companion Volume（CEFR-CV）って何？」というテーマで奥村が講師を務めることになりました。これらの研修会は、自分たちの理解を再考する良い機会となり、これと並行して、筆者らの協働活動から得た知見を整理して論文等の執筆にも取り組みました。

本書は、筆者らがCEFR-CVを読んで考えたことを、広く、多くの人と共有したいという願いから執筆しました。本書を通じて、言語教育に関する対話の輪が広がっていけば幸いです。また、本書の出版に向けて、きめ細かいサポートとアドバイスをくださったくろしお出版の池上達昭さんに心からお礼申し上げます。

櫻井直子・奥村三菜子

目 次

〈この本を読む前に〉

本書は、欧州評議会が公開している *Common European Framework of Reference for Languages: Learning, teaching, assessment*（2001, 以降 CEFR）および *Common European Framework of Reference for Languages: Learning, teaching, assessment—Companion volume*（2020, 以降 CEFR-CV）を基盤として執筆したものです。

- Council of Europe（2001）*Common European Framework of Reference for Languages: Learning, teaching, assessment.*
- Council of Europe（2020）*Common European Framework of Reference for Languages: Learning, teaching, assessment - Companion volume.*

※以下のサイトから、上記二つの全文を見ることができます。

〈https://www.coe.int/en/web/common-european-framework-reference-languages〉

（2022.12.19）

●本書の構成

本書は、第１章から第６章までで構成されています。

第１章では、CEFR-CV が開発された経緯と背景について説明し、CEFR-CV の基盤ともなっている 2001 年の CEFR で提示された言語教育に関する概念を整理します。

第２章では、CEFR-CV の開発において、全編を通して CEFR の内容を更新したと思われる共通の事柄を「更新のポイント」として①〜⑤にまとめ、例示し、説明を加えました。

第３章から第５章は、カテゴリー別に更新された内容を整理しています。まず、第３章では、「コミュニケーション言語活動」と「コミュニケーション言語能力」で更新された点について、具体例とともに紹介します。第4章では、CEFR-CVで大幅に更新・追加された「手話能力」について、更新・加筆されたスケールとその考え方に基づいて説明します。第5章では、CEFR-CVの公開後、注目を集めている「仲介」について詳説します。まず仲介の全体像を紹介してその内容を整理した後、更新の基盤となった概念的な背景を例を挙げながら説明します。

第6章では、日ごろの教育実践においてCEFR-CVをどのように参照できるか、筆者らが考えたアイデアを七つご紹介します。これらのアイデアが、読者の皆さんがCEFR-CVを参照する際の手がかりになればと考えています。

巻末には、CEFR-CVが公開している全カテゴリーとスケールのリストを、日本語訳を付けて掲載しています。

●本書で使用している用語

本書で使用している用語については、以下の表をご参照ください。また、本書におけるCFERおよびCFER-CVの引用は、原著の英語版（一部、フランス語版）を筆者らが邦訳し掲載しています。引用表示は、CEFRまたはCEFR-CVのどちらからの引用か分かるように括弧の中にCEFRまたはCEFR-CVと示し、そのあとに数字で英語版のページを記しています。

本書で使用している用語	用語の意味
CEFR	CEFR（Council of Europe, 2001）を指す。 ※引用ページの示し方： CEFR, p. 10からの引用の場合、（CEFR: 10）と記す。
CEFR-CV	CEFR Companion volume（Council of Europe, 2020）を指す。 ※引用ページの示し方： CEFR-CV, p. 10からの引用の場合、（CEFR-CV: 10）と記す。

記述文	illustrative descriptor(s) / descriptor(s) の意。 「例示的能力記述文」「can do 記述文」とも訳されている。
キー・コンセプト	key concepts の意。(→詳細は、本書第 2 章参照) CEFR-CV で新たに加筆された。
行動志向のアプローチ	action-oriented approach の意。 「行動中心アプローチ」とも訳されている。
社会的行為者	social agent(s) の意。 「社会的存在」とも訳されている。
スケール	記述文がレベル別に示されている表。 CEFR-CV で scale と記されているものを指す。 CEFR (2001) では grid (グリッド) と記されていた語。
カテゴリー	スケール群のグループ名。
相互行為	interaction の意。 「やりとり」「やり取り」とも訳されている。
仲介	mediation の意。 「媒介」とも訳されている。
複言語主義・複文化主義	Plurilingualism, Pluriculturalism の意。
複言語能力・複文化能力	Plurilingual competence, Pluricultural competence の意。
課題	CEFR および CEFR-CV で task(s) と記されているものを指す。 ※『日本語教師のための CEFR』(pp. 41-43) 参照。

●カテゴリー、スケール、記述文について

下の樹形図は【産出 (Production)】の全体像を表したものです。この樹形図を用いて示すと、上部の実線で囲まれている項目の一つ一つが「カテゴリー」、下部の点線で囲まれている項目の一つ一つが「スケール」です。

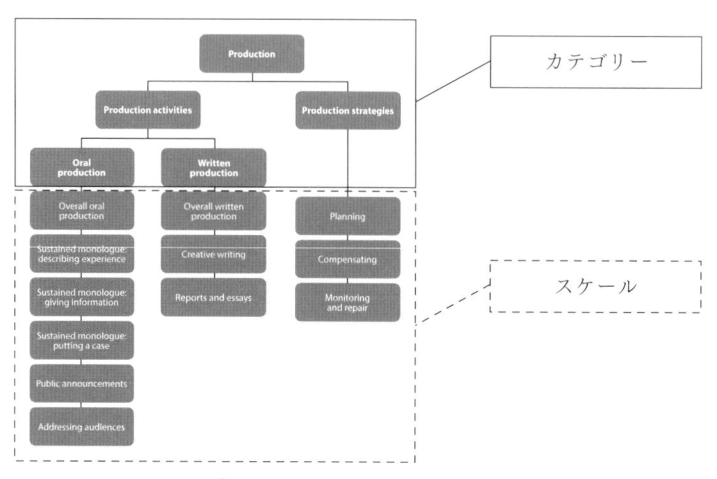

図 1 【産出活動・産出の方略】の樹形図
(CEFR-CV: 61, Figure 12 グレースケールに変換)

樹形図のあとにはスケールが一つずつ個別に提示され、そのスケールにはレベルごとに記述文が記載されています。以下は、〈総括的な口頭での産出(Overall oral production)〉のスケールです。一つのレベルの中に複数の記述文が記載されている場合もあります。

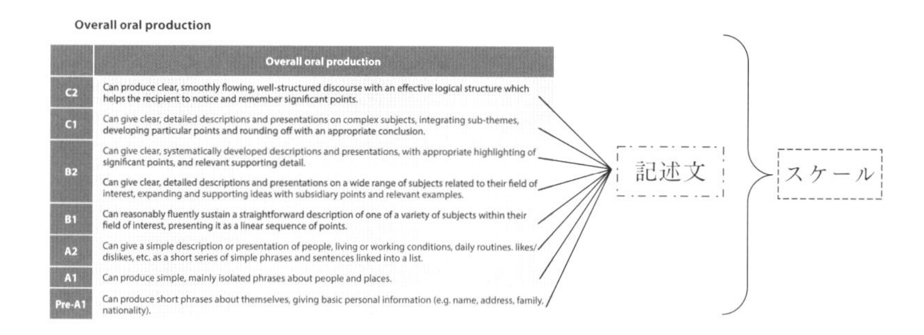

Overall oral production

	Overall oral production
C2	Can produce clear, smoothly flowing, well-structured discourse with an effective logical structure which helps the recipient to notice and remember significant points.
C1	Can give clear, detailed descriptions and presentations on complex subjects, integrating sub-themes, developing particular points and rounding off with an appropriate conclusion.
B2	Can give clear, systematically developed descriptions and presentations, with appropriate highlighting of significant points, and relevant supporting detail. Can give clear, detailed descriptions and presentations on a wide range of subjects related to their field of interest, expanding and supporting ideas with subsidiary points and relevant examples.
B1	Can reasonably fluently sustain a straightforward description of one of a variety of subjects within their field of interest, presenting it as a linear sequence of points.
A2	Can give a simple description or presentation of people, living or working conditions, daily routines. likes/dislikes, etc. as a short series of simple phrases and sentences linked into a list.
A1	Can produce simple, mainly isolated phrases about people and places.
Pre-A1	Can produce short phrases about themselves, giving basic personal information (e.g. name, address, family, nationality).

図 2 〈総括的な口頭での産出〉(CEFR-CV: 62 グレースケールに変換)

本書では、CEFR および CEFR-CV のカテゴリーとスケールを区別するために便宜上、カテゴリーを【　】で、スケールを〈　〉で示しています。

・カテゴリーの例：【産出活動（Production activities）】
【産出の方略（Production strategies）】
【口頭での産出（Oral production）】
【筆記での産出（Written production）】

・スケールの例　：〈総括的な口頭での産出（Overal oral production）〉
〈創作する（Creative writing）〉
〈計画する（Planning）〉

●〈ユーザーからの声〉について

CEFR-CV は、欧州評議会が CEFR のユーザーからの声に応え、作成・公開されました。そこで、本書でも、随所に〈**ユーザーからの声**〉を記載しています。〈**ユーザーからの声**〉は、筆者ら自身が実践の中で感じた疑問および筆者らが講師を務めた CEFR に関する研修会等での参加者からのリアルな声を反映したものです。

例．本書・第 2 章（p. 37）より

〈**ユーザーからの声**〉

・CEFR が提供しているスケールがたくさんあって、どれとどれがどのように関連しているのか複雑すぎてよく分かりません。
・全体的に構造が複雑で、必要な can do を探すのが難しいです。
・【コミュニケーション言語活動】と【コミュニケーション言語能力】の関係がよく分かりません。
・【方略】と【一般的能力】は、CEFR の枠組みの中の何とどのようにつながっているのかイメージしづらいです。

●「一般的能力」（General competences）について

CEFR（2001）で示されている【一般的能力（General competences）】について、CEFR-CV（2020）では取り立てて新たな説明がなされたり、その内容が更新されたりはしていませんが、個々人の複言語能力やコミュニケーション言語活動の達成に大きな影響を与えるものとして、CEFR-CVにも引き継がれています。特に、CEFR-CVで新たに追加された【複言語・複文化能力】のスケールは「一般的能力」とも密接に関わっています。詳細は、本書第3章をご参照ください。なお、【一般的能力】についての詳しい説明は、『日本語教師のためのCEFR』（奥村・櫻井・鈴木, 2016: 56-59）をご参照ください。

〈参考〉CEFR-CVに見られる【一般的能力】に関する記載箇所：

2.3.（p. 30）、2.4.（p. 31）、2.7.（pp. 39-40）、Appendix 6（p. 251）

● CEFRおよびCEFR-CVからの多くの引用

本書ではCEFRおよびCEFR-CVからの引用をできるだけ多く掲載するよう心がけました。読者の皆さんとCEFRおよびCEFR-CVを読み進める経験を共有したいと考えたことと、本書が原典を手に取るきっかけになればという思いを込めています。

第1章

CEFR-CVの基盤となる考え方

1 CEFR-CV出版の背景

CEFR-CVは、欧州評議会が2018年に公開し、2020年に出版した *Common European Framework of Reference for Languages: Learning, teaching, assessment – Companion volume* の略称です。このタイトルから分かるようにCEFR-CVは2001年に欧州評議会が出版・公開したCEFR（*Common European Framework of Reference for Languages: Learning, teaching, assessment*）と密接な関係を持っています。末尾のCompanion volumeに注目してみましょう。日本語では「補遺版」と訳されることが多いようです。補遺版とは、刊行済みの著作に説明を補足したり、古くなった情報を更新したりした別冊を指し、初版に修正を加えて改良した改訂版とは異なります。つまり、補遺版CEFR-CVは、2001年公開のCEFRでは十分に説明されていなかった箇所の補足や、時代の変化などに伴う新しい情報を追加・更新したものといえます。

補遺版CEFR-CVの特徴は、「この出版物はCEFR 2001年を更新したもので、概念的な枠組みはそのまま踏襲されている（This publication updates the CEFR 2001, the conceptual framework of which remains valid.）」と中表紙に明記されていることからも分かるように、CEFRの根幹となる概念的な枠組みは、CEFR-CVにもそのまま踏襲されているという点です。言い換えると、CEFR-CVとは、言語教育関係者たちが2001年からの約20年間にわたりCEFRの言語観を保持しながら行ってきた実践と研究の成果が実を結んだものといえます。

では、なぜ、20年後の今、CEFRが加筆・更新されて補遺版が公開・出版されたのでしょうか。その背景には、社会で課題を遂行する社会的行為者が以前にも増して多様化している社会変化の現状があります。CEFR-CVの冒頭には、「本書における仲介、複言語・複文化能力、手話能力などの領域での新たな開発が、すべての人々に対する質の高いインクルーシブ教育に貢献し、複言語・複文化主義の促進につながることを望む」(CEFR-CV: 11)と、その公開意義が記されています。これは、現代社会において、言語学習・言語教育を通してあらゆる社会的行為者が民主的に社会参加できるよう、より良い支援を行っていこうとする、CEFR開発当初から脈々と引き継がれる関係者たちの願いの実現をいっそう目指すものであると筆者らは理解しています。

CEFR-CVでは、何が更新され、何が加筆されたのでしょうか。それを示していくことが本書の大きな目的です。まず、ここでは、CEFR-CVがCEFRのどの部分に焦点を当て、加筆・更新を行ったのか見てみましょう。下の図1は、CEFR(2001)とCEFR-CV(2020)の目次を並べたものです。

CEFR	CEFR-CV
1．CEFRの政治的および教育的文脈	1．はじめに
2．採用アプローチ	2．教えることと学びのためのCEFRの大事なポイント
3．共通参照レベル	3．CEFR例示的記述文スケール：コミュニケーション言語活動と方略
4．言語使用と言語使用者／学習者	4．CEFR例示的記述文スケール：複言語・複文化能力
5．言語使用者／学習者の能力	5．CEFR例示的記述文スケール：コミュニケーション言語能力
6．言語学習と言語教育	6．CEFR例示的記述文スケール：手話能力
7．言語教育における課題とその役割	
8．言語の多様性とカリキュラム	
9．評価	

図1　CEFR（左）とCEFR-CV（右）の目次

それぞれの構成は次のように整理することができます。

CEFR の構成

1〜3 章　：CEFR の背景にある考え方とその考え方に基づく A1〜C2 レベルの説明

4〜6 章　：言語活動の種類と活動別の A1〜C2 レベルの記述文[1]、言語能力の種類と能力別の A1〜C2 レベルの記述文。および、CEFR を参照した言語教育の説明

7〜9 章　：1〜6 章の内容を基盤とした言語教育を実現するために必要な情報の説明と例示

CEFR-CV の構成

1 章　：CEFR-CV で加筆・更新された箇所の概要および一覧（一覧表は、CEFR-CV: 23, Table 1 を参照）

2 章　：CEFR の 1〜3 章で提示された考え方のより具体的な説明、開発のエピソードおよび概念の視覚化

3〜6 章　：CEFR の 4 章と 5 章の更新と加筆、および新しい能力の追加（例.【産出活動】の更新、【仲介活動】の加筆、【手話能力】の追加など）

このように、CEFR-CV では、これまで分かりにくい、抽象的すぎるといわれていた CEFR の根底にある考え方（2 章）や、時流の変化で必要となった新たな言語活動・言語能力（3〜6 章）を中心にを中心に加筆・更新されていることが分かります。しかし、同時に、CEFR-CV は、CEFR の 1 章から 3 章には手を加えていないことから理念をそのまま踏襲していることも読み取れます。そこで、本章では、CEFR-CV が 2 章で整理し

1　記述文（descriptor）とは、A1〜C2 のレベル別に Can do の形で示された文のことで、活動／能力の種類ごとに一つの「スケール」にまとめられています。CEFR ではグリッド（grid）という用語が使われていましたが、CEFR-CV ではスケール（scale）という用語に統一されているため、本書では「スケール」を用います。

ているように、CEFR-CV の具体的な更新内容を見ていく前に、CEFR と CEFR-CV の基本的な考え方を、CEFR を再読しながら簡単にまとめてみます[2]。

下の図 2 は、本章で整理する CEFR および CEFR-CV の基盤にある考え方と人間の言語活動がどのように関連しているかの図解を試みたものです。CEFR および CEFR-CV は、言語活動は社会と紐づいているという考え方を背景に、「複言語・複文化主義」（2 節）という言語観を基盤としています。その言語観に基づいた能力を「複言語・複文化能力」（3 節）と呼び、その能力を用いて言語活動を行っている人々を「社会的行為者」（4 節）と捉えています。社会的行為者は、その能力を用いてさまざまな場面で「課題」を遂行しています。言語学習は、社会的行為者が遂行する「課題」の一つであり、「行動志向のアプローチ」（6 節）を採用し、目標（5 節）、授業（7 節）、評価（8 節）が実践されていきます。各概念の後ろにある数字は、本章の節の番号です。

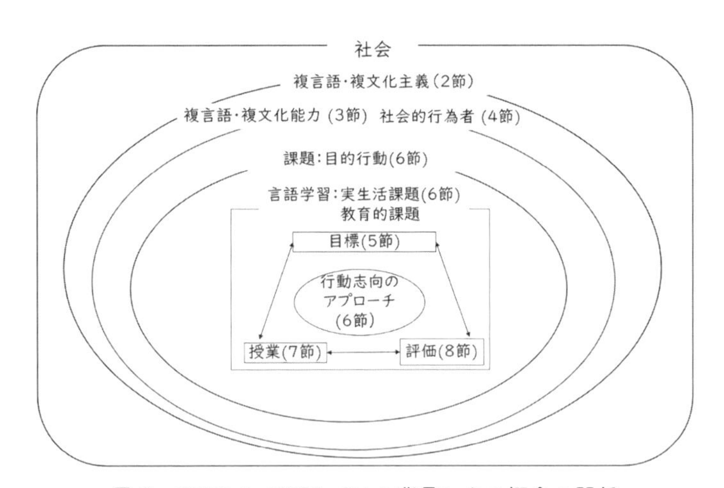

図 2　CEFR と CEFR-CV の背景にある概念の関係

2　CEFR が開発された経緯、授業実践、ならびに欧州評議会に関しては、『日本語教師のための CEFR』（奥村・櫻井・鈴木, 2016）をご参照ください。

2
複言語・複文化主義

CEFR、CEFR-CV を通して根底に流れる「複言語・複文化主義」の基盤には、学習者も言語使用者の一人であり、言語使用者は「社会的行為者」(CEFR: 9)、つまり、社会の中で必要な活動を行っている個人であるとする言語観があります。複言語主義では、その個人は、活動する際に、自分が最も得意とする第一言語／母語だけでなく、学校などで学んだ第二・第三言語や、さらに、地域方言や、あるコミュニティで用いられる社会方言やジャーゴンなど、自分が持っている言語の知識、運用力、経験を用いていると考えられます。CEFR では、このことを次のように説明しています。

> 複言語的なアプローチは、言語的体験が家庭の言語から社会全体の言語、そして他の人々の言語（学校や大学で学んだものであれ、直接体験したものであれ）へとその文化的文脈において広がっていく中で、各個人がこれらの言語や文化を心的な区画にはっきりと分けて保管するのではなく、すべての言語の知識と経験が役に立つコミュニケーション能力を構築し＋ており、そこでは言語が相互に関連付けられ働きかけているという事実を強調する。さまざまな状況において、人は、特定の相手との効果的なコミュニケーションを実現するために、この能力の異なる部分を柔軟に呼び出している。　(CEFR: 4)

言い換えれば、複数の言語能力は個人の中でバラバラに存在するのではなく、複数の言語の知識、運用力、経験が互いに連関しながら一つの大きな言語能力を形成し、言語活動の際には、どの言語能力も常に利用可能な状態になっているといえます。

また、CEFR は、次のように「複文化主義」を複言語主義と関連付けて説明しています。

> 複言語主義は、複文化主義の文脈で捉えられるべきものである。言語は文化の主要な側面であるだけでなく、同時に文化的発現を経験する手段でもある。 (CEFR: 6)

CEFRは、文化的な知識や経験も言語能力と同様にバラバラに個人の中に収納されているのではなく一つの大きな文化能力として存在していると考えています。ある言語を使用する際にその言語が用いられるコミュニティの文化や慣習を考慮しないと言語コミュニケーションが機能しないことも考えられます。

私たちは、言語活動や言語学習を通して、このような文化的な側面も同時に包摂しながら、言語表現を選択したり使い分けを行ったりしています。こうした視点から言葉と文化を捉える考え方を複言語・複文化主義といいます。

3 複言語・複文化能力

CEFRは人間の言語の能力をどのように考えているのでしょうか。

A1〜C2のレベルやレベル別に記述されたスケールは広く知られています。また、スケールに書かれている各レベルの記述文は、知識の量(例.語彙の数、文法形式の種類等)で書かれているのではなく、「〜できる」という目的行動によって記されていることも周知の通りです。この点から、CEFRは、言語の能力を静的な視点ではなく、動的な視点で捉えていることが分かります。この考え方は、前節で述べた複言語・複文化主義が基盤となっています。

では、複言語主義に基づいた個人の言語能力とはどんな能力でしょうか。

CEFRは、複言語主義に基づく言語能力を「複言語能力」という概念で示しています。社会的行為者がそれぞれ持っている複数の言語能力を個人の欲求や必要性を満たすための大きな一つの言語能力として積極的かつ肯定的に捉える考え方です。この能力を活用することによって、個人は日常生活で目的を達成するためのストラテジーを選択したり、他の言語の知識を用いたりすることが可能になります（CEFR: 4-5, 133-134）。

●カタカナ語の理解の例

マニュさんは、フランスで日本語の勉強を始めたフランス人の日本語学習者で、夏休みに受講した日本のサマーコースでフランス人のドミさんと知り合いました。マニュさんは日本語のカタカナ語が苦手ですが、ドミさんはよく理解していることに気づきました。それで、ドミさんを観察していると「ホットケーキ…、温かいケーキかな？」とか「ハンカチ…、ああ、ハンカチーフか！」と、ドミさんは英語の知識を使いながらカタカナ語を理解していました。さっそく、マニュさんも自分が知っている日本語以外の言語の知識も用いながらカタカナ語の意味を推測してみると、意味が分かることが多くて楽しくなりました。さらに、マニュさんは、日本語のカタカナ語には英語だけでなく「オードブル」「ビュッフェ」「アンコール」など、フランス語の言葉があることも発見しました。

「複文化能力」についてはどのように説明されているでしょうか。私たちは、社会で課題を遂行することや学習を通してさまざまな言語の文化能力を身につけていきます。そして、私たち社会的行為者は、使っている言語、話し手、話題などの背景にある文化的側面を考えながら自分が持っている文化に関するすべての能力を補完的に用いています。これは、言語と同様に複数の文化がその個人の一つの文化能力として働いていると考えられると同時に、複言語能力も内包しているといえます。CEFR は以下のように説明しています。

> 人の文化的能力において、その人が経験したさまざまな文化（国、地域、社会）は、その人の中で単に隣り合わせに共存するのではなく、比較され、対比され、活発に相互に働きかけ合うことで、豊かで統合された「複文化能力」を創出する。複言語能力は、その複文化能力の

中で構成要素の一つとなり、他の構成要素と作用し合うのである。

（CEFR: 6）

さらに、複言語能力と文化能力の関係について、CEFRでは、次のように説明しています。

第二言語や外国語の学習者は、第一言語や関連する文化の能力を用いなくなるわけでも、新しく得た能力が既に有している能力から完全に切り離されるわけでも、単に二つの異なる関連性のない行動やコミュニケーションの方法を習得するわけでもない。言語学習者は、複言語話者となることで、異文化間での相互行為の能力を伸ばしていくのである。

（CEFR: 43）

複言語・複文化能力とは、コミュニケーションのために言語を使用し、異文化間の相互行為に参加する能力を指す。コミュニケーションの参加者は、社会的行為者として、熟達の程度には差があるものの、複数の言語に熟達し、複数の文化的な経験を有している。この複数の言語能力、および文化的経験は、区別された能力として重層的、あるいは並列的に置かれたものと見なされるのではなく、むしろ、言語使用者が活用可能な複雑で複合的な能力として存在していると見なされる。

（CEFR: 168）

個人の中に内包されているこれらの言語と文化の能力を大きなパレットに準備されたいろいろな色の絵の具にたとえて考えてみましょう。私たちは、パレットの上では、必要に応じていつでもどの色でも用いることができ、自分の好みで自由自在に色の量を変えたり混ぜ合わせたりすることができます（図3参照）。

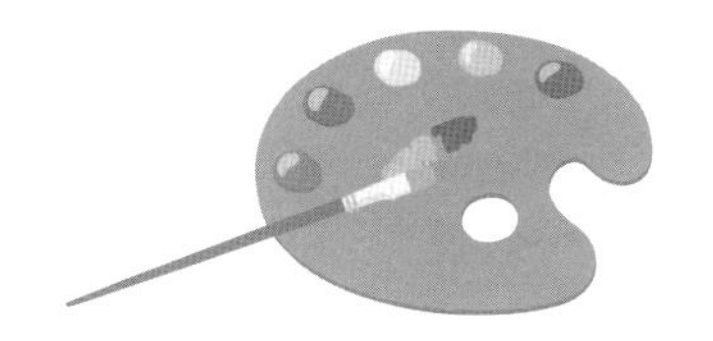

図3　複言語・複文化能力のイメージ

このパレットにある絵の具のように、常にすべての知識や能力が利用可能な状態にあることによって、言語使用者は、目的を達成するための道筋を考え、必要なストラテジーを選び、言語活動を行うことができます。CEFRでは、次のように説明しています。

> 複言語・複文化能力は、単一言語の能力の追加で構成されているのではなく、さまざまな種類の組み合わせや交替を可能にする。[…] このような豊富なレパートリーが一つにまとまっていることで、課題達成のためのストラテジーが選択できる [...]。（CEFR: 134）

CEFRでは、レパートリーの特徴を「部分的能力」という言葉で表し、「各レパートリーは不完全であっても、個人の複言語能力を豊かに形づくる構成要素であり、同時に、ある限定的な場面において役立つ「機能的な」能力である」（CEFR: 135）と説明しています。例えば、話したり書いたりはできなくても、聞いたり読んだりできるという部分的能力は、必要な情報を得たり、小説を楽しんだりするために機能するでしょう。また、ある郵便局員が郵便に関する一般的な情報であれば、外国語でも簡単に説明できるといったように、特定の場面や課題における部分的能力が機能することもあるでしょう。さらに、言語運用は苦手だけれど、ビジネスシーンで挨拶をする際に場面に応じて握手が適切にできるといった一般的能力が部分的能力として機能することもあるでしょう。このように、どんなに些細に思える能力や知識であっても、それらすべてがその人の複言語能力を構築するレパートリーとなり、その人の言語活動において機能し得るのです。

● A1 レベルの部分的能力が機能する例

スミレさんは、転居先の海外でも、日本で行っていたボランティア活動をしたいと思い、知り合いの紹介で炊き出しのボランティアに参加することにしました。その国の言葉は挨拶程度しか知りませんでしたが、その挨拶程度の言語能力が転居先の社会に参入・参加する際に最も重要なものとなりました。それは、この挨拶程度の言語能力を用いたボランティア活動への参加が、スミレさんにとってその国で主体的に社会参加するきっかけとなり、同時にその国の言語を学習する動機付けともなったからです。

では、複言語・複文化能力はどんな特徴を持っているのでしょうか。

一つ目の特徴として、この能力は一人ひとり異なっているという点が挙げられます。自分自身を振り返ってみましょう。どの言語・文化のどの知識、どの運用力、そしてどんな経験が複言語・複文化能力の構成要素になっているでしょうか。個人が持っている構成要素は、一人ひとり異なりますし、それらが混ざり合って出来上がる複言語・複文化能力も当然一人ひとり異なります。

二つ目の特徴は、個人の複言語・複文化能力を構成する要素には偏りがあるという点です。偏りとは、例えば、自分の複言語能力を構成する英語と日本語の能力には大きな差があるとか、英語を話す力と聞く力には違いがあるとか、韓国語は全く分からないのに韓国文化には詳しいといったことを指します。CEFR は、偏りを以下のように説明しています。

複言語・複文化能力は、一般的にいくつかの点で偏りがある。

- 学習者は普通ある言語の熟達度が他の言語より高い。
- ある言語の中である能力が他の能力と異なっている。(熟達した発話能力を二言語で持っているが、筆記能力はそのうちの片方の言語にしかないなど)
- 複言語能力の構成要素は複文化能力の構成要素と異なる。(ある共同体の文化について知識を持っているが、その言語の言語知識は乏

しい、または、ある共同体についてよく知らないが、その共同体の主要な言語に熟達しているなど）

（CEFR: 133）

私たちは一人ひとり異なり一様でない複言語・複文化能力を各自、自分に合ったやり方で用いています。例えば、旅行先で道が分からないときに、ある人は、たとえ言語能力が不十分であっても、持てる力を精一杯駆使して道行く人や店員に尋ねながら到着し、ある人は、一般的能力を用いて地図と通りの名前を照合しながらたどり着くでしょう。課題を達成するために使う能力は人それぞれ異なり、その組み合わせ方も十人十色です。

このような偏りから、複言語・複文化能力の運用上の特徴は、その能力を発揮する際に、本人の一般的な能力と言語的な能力・知識をさまざまな方法で活用することにある。［…］また、表現に利用可能な資源や、その資源に対する個人の認識に応じて、課題が再定義され、言語メッセージが再形成されたり再分配されたりすることもある。

（CEFR: 133-134）

複言語・複文化能力を構成する部分的能力は、その熟達度に関係なく、個人の中で役割を果たし、場合によってはその人のアイデンティティや学習にも関わることがあると CEFR は捉えています。

4 社会的行為者と言語活動

CEFR が、社会で自分の目的行動を達成するために言語を用いているすべての人を社会的行為者と考えていることは先述の通りです。この社会的行為者という観点に立つと、母語話者と外国語話者という立場も、学習者と教師という立場も絶対的なものではなくなります。この立場は、場面が変われば簡単に逆転するものだからです。つまり、そこにいる人はすべて言語使用者であり、社会でより良く生きるために言語を使用している社会的行為者であるといえます。社会的行為者は英語で social agent、フランス語では acteur sociale、ドイツ語では gesellschaftlich Handelnde と表現されています。それぞれ、agent、acteur、Handelnde が「行為者」に該当します。英語の agent という言葉は行為者という意味がありますが、仲介者、斡旋者という意味もあり、人と人の間に立って相互行為をしている人物像が浮かびます。フランス語の acteur には文法用語として動作主という意味がありますが、日常的には俳優、当事者という意味で用いられ、社会で具体的に何かを行っている人物像が描けます。また、Handelnde は意識的に行動する人という意味で、動詞の handeln は日常的には商売、取引といった場面でも使用されます。ここから、人と人の間でものや考えが行き来する様子が目に浮かびます。これらの言葉からも、CEFR が言語活動を社会と紐づけて考えていることに気づかされます。CEFR は、言語活動を以下のように説明しています。

> 言語学習を含む言語使用は、個人として、また社会的行為者として、一般的能力および特にコミュニケーション言語能力を身につけた人が行う活動である。彼らは、さまざまな状況や制約の下、さまざまな文脈の中で使用可能な能力を駆使して、特定の領域のテーマに関連したテキストを産出したり理解したりするといった言語プロセスに関わる言語活動に従事し、その際、達成すべき課題遂行のために最も適切と思われるストラテジーを活性化させる。そしてこれらの行動をモニタリングすることで能力の強化や修正につながる。　　(CEFR: 9)

社会に紐づけて言語活動を考えると、学校などでの言語学習も、学習者にとっては言語活動の一つになります。同時に、学習者が社会で「どう説明したら相手に伝わるだろうか」と考え、自分の言語能力を駆使して言語行為を重ねていくことも言語学習です。このように考えると、言語の授業というのは、ある言語活動の一場面であり、学習者にとっては数多ある言語接触場面の一つと捉えることができます。これは、学校や授業の重要性が低くなるということではなく、むしろより学習者に寄り添い支援する重要度が増す場面になると筆者らは考えています。

●Aレベルの学習者の目的行動達成の例

日本人留学生のヒロさんは、留学先の交流パーティーの席で隣の人からコースターを受け取りました。そのコースターには「お金をかりてもいいですか」と書き慣れない日本語の文字が書かれていました。周りを見渡すと、こちらを見てすまなそうにニコニコしながら頭を下げている日本語学習者のオリさんがいました。英語で話しかけてきてもいいのに一生懸命に日本語で手書きし、しかもキーワードの「お金」は漢字で書いてあります。このコースターを見てヒロさんはなんだか愉快な気持ちになり、お金を貸してあげました。

ここでコースターを渡した学習者は、自分の持つ一般的能力、言語能力、社会文化能力を生かして、目的行動を達成し、さらに新たな人間関係を構築するきっかけをつかんだといえるでしょう。

では、社会に紐づいた言語教育はどのような目標を持って進められていくのでしょうか。

5 言語教育の目標

社会的行為者の目的行動に焦点を当てた場合、何が言語教育の目標になるでしょうか。CEFRは、文法事項が運用できるようになるために何度も繰り返し練習することで教育目標の一部は達成できるものの、その練習だけでは、社会で達成しようとしている課題が一人ひとり異なる学習者の支援には不十分だと考えています。CEFRは、こうした観点から、言語教育の目標は、文法や単語の意味を教えて間違えずに使えるようになることだけでなく、社会で活動するときに手がかりになる知識や運用力や経験を学習者に提供することだと述べています。つまり、学習者一人ひとりの複言語能力が内包しているそれぞれの要素をより豊かにすることを言語教育の目的として掲げています。CEFRでは、次のように説明しています。

> このような視点に立つと、言語教育の目的は大きく変更される。その目的は、もはや、「理想的な母語話者」を究極のモデルとして、一つまたは二つ、あるいは三つの言語を単独で「マスター」することではなく、むしろ、すべての言語能力が役割を果たす言語レパートリーを豊かにすることになる。 (CEFR: 5)

では、学習者の複言語能力を豊かにする言語教育はどのような考え方に基づいて実践されていくのでしょうか。

6 行動志向のアプローチ

CEFRが目指す言語教育は「行動志向のアプローチ (action-oriented approach)」という社会と紐づいた教育の考え方で実践されています。「行動志向のアプローチ」は、個人が持つそれぞれの能力やストラテジーを活用して課題が達成できることを支援する教育的アプローチです (CEFR: 9)。このアプローチに基づく言語学習、教育の目的、目標について以下のように説明しています。

> 言語学習と教育の目的、目標が示される際、それらは学習者や社会からのニーズ、学習者がこれらのニーズに応えるために遂行すべき課題、活動、および手続き、さらにこれらの遂行に向けて伸ばすべき能力とストラテジーに基づいていなければならない。 (CEFR: 131)

ここで注目すべきは「学習者が」という点です。教師が教えるべきと考える課題ではなく、学習者が「遂行すべき」と考える課題に着目しています。ここでいう課題というのは、教師が学習者に出す宿題のことではなく、社会における学習者の目的行動を表します。「課題」はCEFRでは、次のように定義されています。

> 課題は、解決すべき問題、果たすべき義務、または達成すべき目的に結果を出すために個人が必要と考える目的行動と定義される。
>
> (CEFR: 10)

つまり、日常生活でしなくてはいけないこと、したいことと言い換えることができます。また、学習者にとっては、教室活動も課題の一つ（目的行動）といえます。CEFRは教室活動での課題を、学習者にとって仕事や勉強など実生活で必要とされる課題、および、日常生活での課題の達成に必要な言語能力を高める課題の二つに分け、前者を「実生活（real-life）[3]」課題、後者を「教育的」課題としています。Goullier（2007）は、マイクロ課題という用語を用いて、課題の下位レベルにある細かな課題を表す概念を示し、マイクロ課題を積み重ねることによって大きな課題が達成されるような教案の作成を提案しています。奥村・櫻井・鈴木（2016: 38）では、「イベントについて、相談・計画することができる」を課題に設定し、マイクロ課題でそれを達成していく流れを図解しています。

このように、課題遂行能力の育成を目指す実生活課題と、言語能力の向上を目指す教育的課題を授業に組み込み、配置することで、バランスの取れた言語教育を学習者に提供できるだけでなく、教師が自分の授業について「どうしてこの活動をしているのか」と学習者に与えた課題の有用性を認識した上で実践を進めることができます。

CEFRが提唱する「行動志向のアプローチ」は、目の前の学習者に到達すべき課題があり、現実の場面でその課題を学習者自身の力でやり通すように支援するという学習者主体の教育観を示しています。

3　real-lifeの他に、target、rehearsalという用語でも紹介されています。

7
授業で用いる教授法

CEFRは言語教育の目的と、その目的を達成するための言語教育へのアプローチを提唱し、授業への文脈化として、目的行動である課題を中心に授業を組み立てていく方策を提唱しています。では、その教え方や基盤とする教授法は何だと考えているのでしょうか。CEFRでは「行動志向のアプローチ」の観点から、言語教育の実践に採用する教授法および方法論の原則が以下のように説明され、同様の説明が何度も繰り返されています。

> 多元的民主主義の基本原則に従って、このフレームワークは、包括的で、透明性があり、首尾一貫したものであるだけでなく、開かれた、ダイナミックな、教条的でないものを目指している。そのため、言語習得の性質や言語学習に関する研究の一つの理論に立脚することはなく、また、特定の言語教育の教授法を採用したり、ある教授法を排除するものでもない。(CEFR: 18)

> もちろん、この章でも他の章と同じ基準が適用されることを強調しておく。学習法、教育法に対する姿勢は、包括的でなければならず、すべての選択肢を明確かつ透明性のある方法で提示し、特定の考えへの擁護や教条主義を避けなければならない。言語の学習、教育、研究に採用される方法についての欧州評議会の基本的な原則は、社会的文脈における個々の学習者のニーズに照らして合意された目的に到達するために最も効果的であると考えられる方法をとるということである。その効果は、活用できる人的・物的資源の性質、さらに、それと同様に学習者の動機や特徴にも左右される。この基本原則に従えば、必然的に目的は多様になり、指導法や教材はさらに大きな多様性を持つ。(CEFR: 142)

CEFRは、教師が授業を考えて教案を作る際に採用すべき教育理論や教授法を提示していません。教師は、学習者の様子やニーズ、そして機関の目的や学習環境に常に目を配り、より良い授業を実現しようとする限り、どのような考え方、教授法を用いても、さらに複数の方法を組み合わせても構わないという立場を取っています。さらに、このように授業を考えていく教師、学習者の様子を以下のように描いています。

> 現時点で、フレームワークがある一つの学習理論に基づくほど、学習者がどのように学ぶのかについて、研究に基づく十分で確固たる合意は得られていない。ある研究者は、人間の情報処理能力は十分に高いため、理解可能な言語に十分にさらされるだけでその言語を習得し、理解と産出の両方に使用できるようになると考えている。[…] 別の研究者は、理解可能なインプットにさらされるだけでなく、コミュニケーションに積極的に参加することが言語習得の必要十分条件であると言い、しかし、同じく明示的な指導は必要ないと考えている。一方、全く反対に、必要な文法規則を学び語彙を身につけた学習者は、リハーサルがなくても、それまでの経験や常識に照らし合わせて言語を理解し使用することができると考えている研究者もいる。しかし、ほとんどの「主流」の学習者、教師、および学習支援者は、これらの両極端な考え方の中で、より折衷的な実践を追求しているであろう。
>
> (CEFR: 139-140)

教師は授業を考えるときに、「どんな活動をしたらいいか」「この活動をする理由は何か」「どのような活動がより効果的か」などを考えるでしょう。こうした問いの答えを模索し、それを学習者にも説明ができるようにするために、教育理論や指導法は客観的な拠り所として大切な役割を果たします。しかし、理論や教授法を重視するあまり、学習者の必要性や動機を見過ごすことになっては本末転倒です。教育理論や指導法に沿って滞りなく授業を行うことが教育の目的ではないということを、教師は忘れてはならないでしょう。

以上のことを踏まえると、教師は、自分が教えたい、教えるべきと考えている事柄をどう教えるかという問いから授業を構築するのではなく、学習者が成し遂げなければならない社会での課題と、そのために指導すべき事柄を考えることから授業デザインを始めることになります。その際に、教師は、目の前の学習者（たち）にとって、課題遂行に最も効果的である学習法・指導法を選び取り、それらを組み合わせ、授業を構築します。教室では、教師は学習者が目的行動をせざるを得ない状況をつくります。その中で学習者は目的行動の達成に向けて活動をします。その活動をしている中で学習者自身が自ら必要な情報を探していきます。こうした学習環境を整えることが教師の役割となります。

8 評価

CEFR の動的な記述文の背景には、人間の能力を包括的に捉えるという評価に対する考え方があります。この考え方を基に、教師は学習者に対して「あるレベルに到達するには○○が足りない」ではなく、むしろ「ここまでできるから○○のレベルで、あとこれができれば○○のレベルに到達できる」という加算的な表現で評価することを奨励しています。

では、CEFR は、評価の際にどのように参照することができるでしょうか。それを考えるにあたって、教育における評価の位置づけを確認してみましょう。評価とは、そのコースが目標としたことを学習者が達成できるかどうかを確かめるために行われるものですので、目標と評価は完全に紐づく必要があります。この関係は、図 4 のように表すことができます。

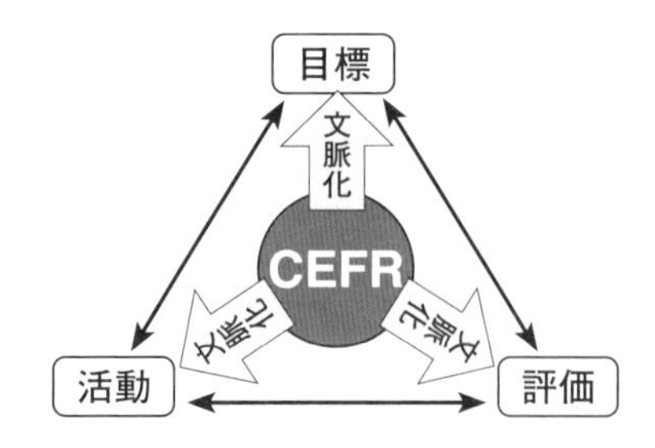

図 4　教育実践の三角形（奥村・櫻井・鈴木, 2016: 79）

例えば、読解授業の目標を「法務省のサイトからビザ取得に必要な情報を得ることができる」と設定した場合、「この学習者は法務省のサイトからビザ取得に必要な情報を得ることができるか、それはどのくらいできるのか」が評価の対象となります。

CEFR は、第 9 章「評価（Assessment)」で、評価における CEFR の三つの活用方法を述べています（CEFR: 178)。

①テスト／試験問題の特定のために「何を評価するか」
②学習目標の到達度の評価基準を提示するために「どのように言語運用を解釈するか」
③既存のテスト／試験での熟達度のレベルを記述し、異なる資格制度間の比較を可能にするために「どのように比較しうるか」

では、一つずつ、内容を確認してみましょう。

①何を評価するか

試験を作成するときには、まず何を評価するかを考えるでしょう。その際に、CEFR の第 4 章、第 5 章のスケールが役に立ちます。以下は、B1 レベルの「新聞の読解力」を評価する際に CEFR のスケールを参照し、活用した例です。

例：CEFR の〈スケール〉を参照して B1 レベルの「新聞の読解力」の測定のための評価対象を考える
＊スケールの詳細は巻末の「スケールリスト」を参照

- 【読む理解】〈方向付けのために読む〉：自分に必要な記事が見つけられる。
- 【読む理解】〈情報、論点のために読む〉：記事の主題、論点、結論が分かる。
- 【テキストの仲介】〈テキストを処理する〉：記事が要約できる。
- 【言語的能力】〈語彙の範囲〉：記事の中で話題になっているキーワー

ドを知っている。

②どのように言語運用を解釈するか

作文、口頭試験の評価をより客観的にしたり、他の教師や学習者と評価基準を共有するためにルーブリックを作成することがあると思います。ルーブリックのタテ軸である「評価の観点」は上記の①で示したようにCEFRのスケールを参照することができます。そして、その試験がプレースメントテストであれば、ヨコ軸にA〜Cの必要なレベルの記述文を記載してルーブリックを作成することができます。あるいは、B1レベルの評価を行うのであれば、隣接するA2レベルとB1+レベルの記述文も参照しながらルーブリックを作成することができるでしょう。ルーブリックの作成は簡単な作業ではありませんが、CEFRを参照することで複数の教師と協働で作成したり、見直したりすることも可能になります。加えて、教師が自信を持って学習者に試験の基準を説明することもできます。

③どのように比較しうるか

例えば、TOEFL、TOEIC、IELTSのような大規模試験とCEFRとのレベル対応が多く見られます。その際にもCEFRの記述文は参照されています。

以上3点、評価実践におけるCEFRの活用に関して簡単に述べましたが、ここで留意を促したいのは、言語能力というのは自然界の「虹」のようなものだということです。CEFR-CVでは、共通参照レベルに関する説明の箇所で虹の写真を示し、次のように説明しています。

> 人文科学およびリベラルアーツにおけるすべてのカテゴリーは、どんな場合でも伝統的かつ社会的に構築された概念である。虹の色と同様に、言語能力は実際には連続的なものである。　　（CEFR-CV: 36）

現実的には明確に切り分けることなどできない学習者の連続的な言語能

力を評価し、レベルを特定するということは、教師として日常的に行わざるを得ない活動の一つでもあります。ですが、この能力は連続的であり、Xという学習者とYという学習者の微細な違いがなぜレベルの違いとして捉えられるのか、教師には説明の義務があります。CEFRの記述文を基盤として評価にあたり、その分析の結果を評価の根拠とすることによって、教師は自分の評価の信頼性を担保する一つの方策となるのではないかと考えます。

本章では第1節から第8節にわたりCEFRとCEFR-CVの根底にある考え方を整理してきました。もう一度、第1節の図1を見てみてください。社会と言語活動の密接なつながりや、言語学習が社会的行為者の言語活動の一つであるということを感じていただけたでしょうか。これらの考え方を念頭に置きながら、次章からCEFR-CVで加筆・更新された点について見ていきましょう。

第2章

CEFR-CV全体に関わる共通の更新ポイント

2001年に公開されたCEFRは、言語教育の関係者によってさまざまな実践に参照され[1]、それと同時にさまざまな疑問や要望が寄せられました。そうした声に応えるために、CEFR-CVではいくつもの加筆や更新が行われています。これらの加筆・更新では第1章で述べたように2001年のCEFRの考え方が踏襲されており、CEFR（CEFR: 7-8）で示された以下の六つの性格も同様に重視されています。

- 多目的（multi-purpose）
- 柔軟（flexible）
- オープン（open）
- 動的（dynamic）
- ユーザーフレンドリー（user-friendly）
- 非教条的（non-dogmatic）

CEFR-CVで加筆・更新された点については、CEFR-CVの表1（CEFR-CV: 23）に2001年のCEFRとの対応表が、また、表2（CEFR-CV: 24-25）に記述文の変更点の要約が掲載されています。これらを簡潔にまとめたのが以下の5点で、CEFR-CVの第1章に箇条書きで記されています。

1　欧州でのCEFRの受け入れられ方と実践の流れについては櫻井（2021）を参照。

▶ 2001年版には記述文と尺度がなかった仲介と複言語・複文化能力に光を当てる。
▶「プラスレベル」や新しい「Pre-A1」レベルをより完全に定義する。
▶ コミュニケーション活動の記述文に対する要求に対応する。
▶ A1およびCレベルの記述文を充実させる。
▶ 記述文にある動詞の変更、並びに「音声話者/手話話者（speaker/signer)」の選択肢の提供等によって、ジェンダーの中立性、および使用様式の包括性（modality-inclusive）を担保する。

(CEFR-CV: 22を簡約)

さらに、着目してもらいたい更新の際のポイントとして、CEFR-CVでは以下の4点にも言及しています。

▶ CEFR-CVで新たに開発されたスケールや記述文のみを提示しているのではなく、既存のスケールや記述文も併せて提示。
▶ 同じカテゴリー(コミュニケーション言語活動/コミュニケーション言語能力）のスケールを整理したスキーム図（樹形図）を提示。
▶ すべてのスケールに、各スケールの考え方を説明した根拠を簡潔に提示。
▶ 開発・検証されたものの、最終的にCEFR-CVの記述文に採用されなかった記述文は、付録8（Appendix 8）に提示。

(CEFR-CV: 22)

筆者らは、これら9点をCEFR-CVの更新において全編を通して留意された共通点と捉え、言語教育実践の観点から「ポイント①〜⑤」として整理しました。

1. カテゴリーとスケールの構成の可視化（ポイント①）
2. スケール作成上の考え方の明確化（ポイント②）

3. Pre-A1 レベルと年少者に関する記述の追加（ポイント③）
4. A1 レベル・C レベルの精緻化（ポイント④）
5. 多様な言語使用者に向けた多目的化（ポイント⑤）

以下に、この五つのポイントについて、〈ユーザーからの声〉および具体例とともに一つずつ見ていきたいと思います。

1
カテゴリーとスケールの構成の可視化（ポイント①）

〈ユーザーからの声〉
- CEFR が提供しているスケールがたくさんあって、どれとどれがどのように関連しているのか複雑すぎてよく分かりません。
- 全体的に構造が複雑で、必要な can do を探すのが難しいです。
- 【コミュニケーション言語活動】と【コミュニケーション言語能力】の関係がよく分かりません。
- 【方略】と【一般的能力】は、CEFR の枠組みの中の何とどのようにつながっているのかイメージしづらいです。

CEFR のカテゴリーやスケールの構成は、CEFR-CV にもそのまま継承され、特に大きな変更はありません。ただし、CEFR ではそのカテゴリー間やスケール間の関係を示す図のようなものは提示されていなかったため、全体の構成が分かりづらいという指摘がありました。そこで、CEFR-CV では、構成が一目で分かるような樹形図が色付きで示されました。図 1 は、CEFR の枠組みの全体図を表した樹形図です。

一番上の「総括的な言語熟達度（Overall language proficiency）」の下には、左から【一般的能力（General competences）】【コミュニケーション言語能力（Communicative language competences）】【コミュニケーション

言語活動（Communicative language activities）】【コミュニケーション言語方略（Communicative language strategies）】という、能力、活動、方略が樹形図で示されています。そして、言語能力、言語活動、言語方略の下のカテゴリーは、次のように色分けして示されています[2]。

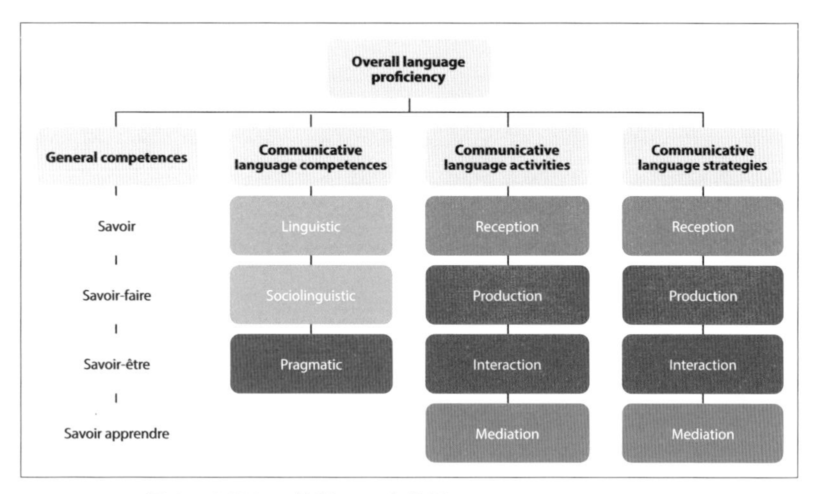

図1　CEFRの枠組みの全体図（CEFR-CV: 32, Figure 1）

【一般的能力】（General competences）

- 【叙述的知識】（Savoir）
- 【スキルとノウハウ】（Savoir-faire）
- 【実存的能力】（Savoir-être）
- 【学習能力】（Savoir apprendre）

【コミュニケーション言語能力】（Communicative language competences）

- 【言語的能力】（Linguistic）：水色
- 【社会言語的能力】（Sociolinguistic）：緑色
- 【言語運用能力】（Pragmatic）：ピンク色

---

2 【一般的能力】にはスケールがないため色分けはされず、灰色一色で示されています。

【コミュニケーション言語活動】（Communicative language activities）

- 【受容】（Reception）：青色
- 【産出】（Production）：赤色
- 【相互行為】（Interaction）：紫色
- 【仲介】（Mediation）：オレンジ色

【コミュニケーション言語方略】（Communicative language strategies）

- 【受容】（Reception）：青色
- 【産出】（Production）：赤色
- 【相互行為】（Interaction）：紫色
- 【仲介】（Mediation）：オレンジ色

さらに、CEFR-CV では、第 3 章以降、一つのカテゴリーに含まれるスケール間の関係も樹形図で示されています。樹形図は各章の冒頭に掲示され、一目見て章の構成が分かるように工夫されています。以下に、【コミュニケーション言語活動】と【コミュニケーション言語能力】の樹形図の例を一つずつ示します。

例 1　【コミュニケーション言語活動】の例：【産出（Production）】

図 1 の中で赤色で示されている【コミュニケーション言語活動（Communicative language activities)】と【コミュニケーション言語方略（Communicative language strategies)】に紐づいている【産出（Production)】のスケールを示した樹形図が、図 2 です。

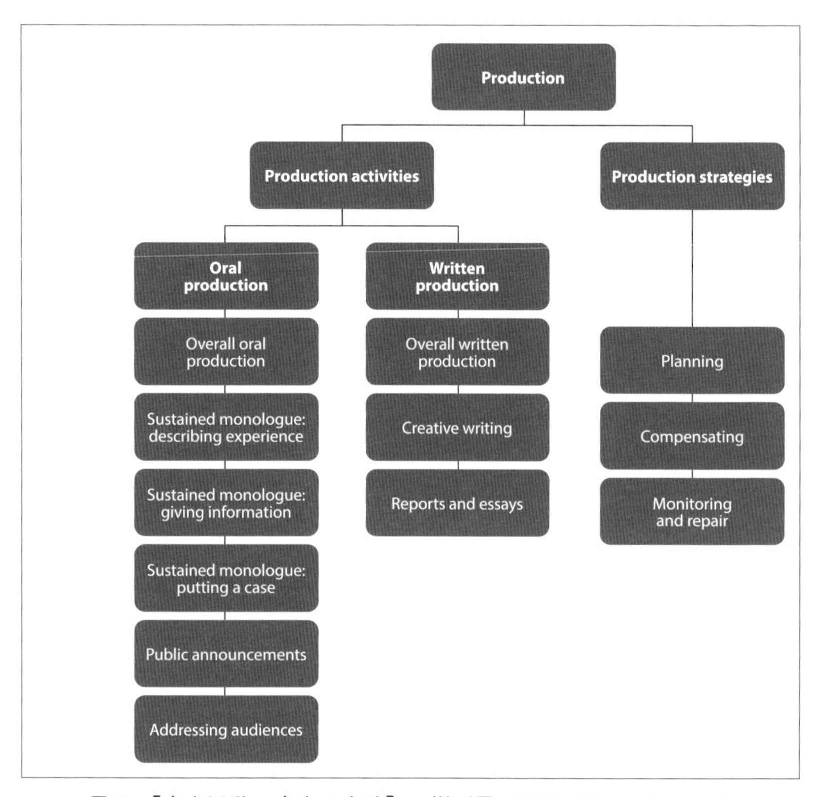

図２【産出活動・産出の方略】の樹形図（CEFR-CV: 61, Figure 12）

この樹形図は【産出】に関するものなので、すべて赤色で示されています。一番上の【産出（Production)】の下は、左側の【産出活動（Production activities)】と、右側の【産出の方略（Production strategies)】に分かれています。また、左側の【産出活動】は、さらに【口頭での産出（Oral production)】（左）と【筆記での産出（Written production)】（右）の二つに分かれてスケールが並んでいます。以下は、【産出活動】および【産出の方略】のスケール名を日本語に訳したものです。

【産出活動】（Production activities）

- **【口頭での産出】（Oral production）**
  - 〈総括的な口頭での産出〉（Overall oral production）
  - 〈持続的な独話：経験を語る〉
    （Sustained monologue: describing experience）
  - 〈持続的な独話：情報を提供する〉
    （Sustained monologue: giving information）
  - 〈持続的な独話：論述する〉（Sustained monologue: putting a case）
  - 〈公共アナウンス〉（Public announcements）
  - 〈聴衆に向かって話す〉（Addressing audiences）

- **【筆記での産出】（Written production）**
  - 〈総括的な筆記での産出〉（Overall written production）
  - 〈創作する〉（Creative writing）
  - 〈報告書、随筆／小論〉（Reports and essays）

【産出の方略】（Production strategies）

- 〈計画する〉（Planning）
- 〈補う〉（Compensating）
- 〈モニターする、修正する〉（Monitoring and repair）

例 2：【コミュニケーション言語能力】の例

【コミュニケーション言語能力（Communicative language competences)】（図 1、左から 2 列目）のスケールを示した樹形図が、図 3 です。

一番上の【コミュニケーション言語能力（Communicative language competences)】の下には、左から【言語的能力（Linguistic competence)】【社会言語的能力（Sociolinguistic competence)】【言語運用能力（Pragmatic competence)】があり、それぞれの能力の下には、次のようなスケールが示されています。

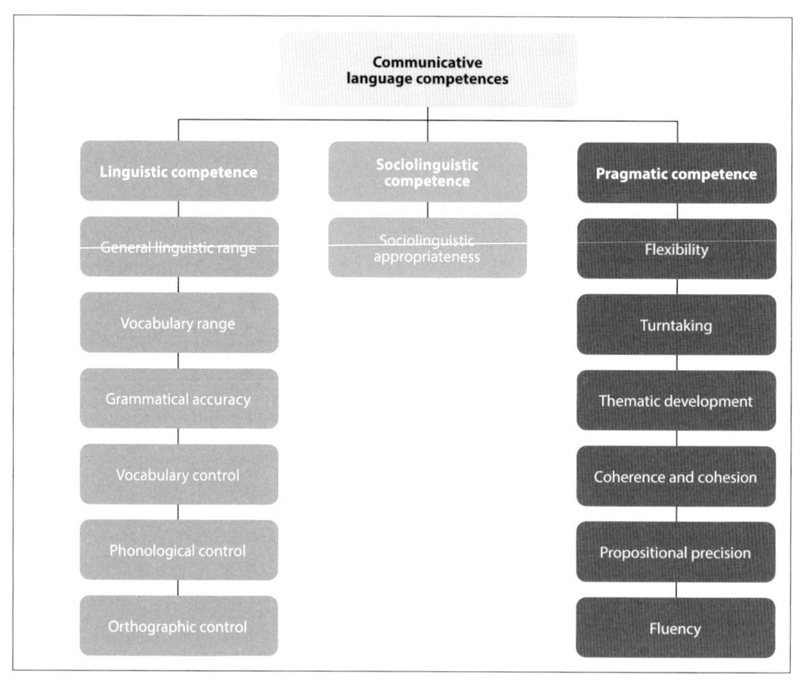

図3 【コミュニケーション言語能力】の樹形図（CEFR-CV: 129, Figure 16）

【言語的能力】（Linguistic competence）：水色

- 〈全般的な言語使用域〉（General linguistic range）
- 〈語彙の範囲〉（Vocabulary range）
- 〈文法的正確さ〉（Grammatical accuracy）
- 〈語彙の制御〉（Vocabulary control）
- 〈音韻の制御〉（Phonological control）
- 〈正書法の制御〉（Orthographic control）

【社会言語的能力】（Sociolinguistic competence）：緑色

- 〈社会言語的な適切さ〉（Sociolinguistic appropriateness）

【言語運用能力】（Pragmatic competence）：ピンク色

- 〈柔軟性〉（Flexibility）
- 〈ターンテイキング〉（Turntaking）
- 〈話題の展開〉（Thematic development）
- 〈一貫性と結束性〉（Coherence and cohesion）
- 〈叙述の精確さ〉（Propositional precision）
- 〈流暢さ〉（Fluency）

〈ユーザーからの声〉に応えて…

色付きの樹形図が示されたおかげで、CEFR-CV では全体の構成が視覚的に大変分かりやすくなり、検索もしやすくなりました。「構造が複雑でよく分からない」「必要な can do を探すのが難しい」「言語活動と言語能力の関係が分からない」「【方略】や【一般的能力】の位置づけが分かりづらい」といったユーザーの悩みもかなり解消されるのではないでしょうか。

2 スケール作成上の考え方の明確化（ポイント②）

〈ユーザーからの声〉

- プレゼンテーションの終了後にはたいてい質疑が行われますが、この質疑については【相互行為活動】の can do を別途参照する必要がありますか？
- 【読む理解】の〈方向付けのために読む（Reading for orientation)〉と〈指示を読む（Reading for instructions)〉の違いが分かりません。それぞれ具体的にどんな活動ですか？
- 授業で「社会問題について意見を書く」というタスクを行っていますが、【筆記での産出】の〈創作する（Creative writing)〉と〈報告書、随筆／小論（Reports and essays）〉のどちらのスケールを参照すればいいのか迷います。

- 【コミュニケーション言語能力】の〈叙述の精確さ（Propositional precision）〉は、〈文法的正確さ（Grammatical accuracy）〉とどう違うのでしょうか？
- 〈モニターする、修正する（Monitoring and repair）〉という【産出の方略】が具体的にイメージできません。
- 〈文法的正確さ（Grammatical accuracy）〉の記述文を見ると、A レベルでは文型の数や難易度について書かれていますが、B レベルでは誤用の有無に着目しているし、C レベルでは文法を使うストラテジーのようなことが書かれています。視点のバラつきが気になります。

CEFR-CV の最も大きな功績の一つは、すべてのスケールに、各スケールの説明文とキー・コンセプト（key concepts）が添えられたことでしょう。キー・コンセプトには、どのような点に着目したスケールであるのか、また、どのような視点に基づいて A レベルから C レベルまでの記述文が作成されたのかが箇条書きで明記されています。これによって、それぞれのスケールの作成意図が明確になり、それまで読み手に委ねられていたそれぞれのスケール、記述文、レベルの解釈が客観的に明文化されました。

この説明文とキー・コンセプトは、スケールを見た読者の目に留まりやすいよう、一つ一つのスケールの真上に記載されています。「This scale involves / concerns / covers / describes / represents ...」といった表現で始まる説明文が冒頭に簡潔にまとめられており、その真下にキー・コンセプトが「▶」のマークで示されています。

以下、【コミュニケーション言語活動】と【コミュニケーション言語能力】の中から一つずつ例を見てみましょう。

●説明文とキー・コンセプトの例１

【コミュニケーション言語活動：産出活動・口頭での産出】

Addressing audiences

This scale involves giving an oral presentation at a public event, in a meeting, seminar or class. Although the talk is clearly prepared, it is not usually read word for word/sign for sign. Nowadays it is conventional to use visual aids like PowerPoint, but this need not be the case. After a presentation, it is customary to take questions spontaneously, answering in a short monologue, so this is included in the descriptors as well. Key concepts operationalised in the scale include the following:

- type of address: from a very short, rehearsed statement, through a prepared, straightforward presentation on a familiar topic within their field, to a well-structured presentation on a complex subject given to an audience unfamiliar with it;
- consideration of the audience: there is no comment at the A levels, but from B1 the progression goes from being clear enough to be followed without difficulty most of the time, to structuring and adapting the talk flexibly to meet the needs of the audience;
- ability to handle questions: from answering straightforward questi[…] some help, through taking a series of follow-up questions fluently and spontaneously, to handling di[…] hostile questioning.

	Addressing audiences
C2	Can present a complex topic confidently and articulately to an audience unfamilia[…] adapting the talk flexibly to meet the audience's needs. Can handle difficult and even hostile questioning.
C1	
B2	

〈聴衆に向かって話す（Addressing audiences）〉（CEFR-CV: 65-66）

　このスケールは、公共のイベント、会議、セミナー、クラスなどで口頭プレゼンテーションを行う活動に関するものである。話す内容は明らかに準備されているが、音声言語であれ手話言語であれ、通常、一字一句読み上げられることはない。最近では、パワーポイントなどの視覚器材を使うのが一般的だが、必ずしもそうである必要はない。プレゼンテーションの後、即興で質問を受け、短いモノローグで答えることが慣例となっているので、これも記述文に含まれている。このスケールは以下のキー・コンセプトに基づき記述されている。

▶ 話の種類：非常に短いリハーサル済みの陳述から、自分の専門分野の身近な話題についての準備された直線的なプレゼンテーションへ、そして、複雑なテーマについてその内容をよく知らない聴衆に向けて行われる構造化されたプレゼンテーションへ。

▶ 聴衆への配慮：A レベルでは言及されていないが、B1 からは、ほとんどの場合問題なくついていける明確さから、聴衆のニーズに合わせて話を柔軟に構成したり適応させたりできるよう進展していく。

▶ 質問に対応する能力：助力を伴い簡単な質問に答えることから、一連の後追いの質問に流暢かつ即興で答えられることへ、そして、難しく敵意のある質問への応答へ。

〈ユーザーからの声〉に応えて…

この説明文とキー・コンセプトからは、このスケールがさまざまな場面やトピックで行われるプレゼンテーションを包括したものであることが分かります。また、視覚資料の使用の有無や、プレゼンテーション後の質疑についても言及されており、A レベルから C レベルへと記述文が作成された際のポイントも明確に示されています。これにより、具体的な授業活動やレベルごとの評価ポイントなどをイメージしやすくなるのではないでしょうか。例えば、どのスケールを参照すればよいかという迷いや、スケールの名前を見ただけではイメージが湧かないという疑問なども解消されることでしょう。

●説明文とキー・コンセプトの例2

【コミュニケーション言語能力：言語的能力】

Grammatical accuracy

This scale concerns both the user/learner's ability to recall "prefabricated" expressions correctly and the capacity to focus on grammatical forms while articulating thought. This is difficult because, when formulating thoughts or performing more demanding tasks, the user/learner has to devote the majority of their mental processing capacity to fulfilling the task. This is why accuracy tends to drop during complex tasks. In addition, research in English, French and German suggests that inaccuracy increases at around B1 as the learner is beginning to use language more independently and creatively. The fact that accuracy does not increase in a linear manner is reflected in the descriptors. Key concepts operationalised in the scale include the following:

- control of a specific repertoire (A1 to B1);
- prominence of mistakes (B1 to B2);
- degree of control (B2 to C2).

	Grammatical accuracy
C2	Maintains consistent grammatical control of complex language, even wh… (e.g. in forward planning, in monitoring others' reactions).

〈文法的正確さ（Grammatical accuracy）〉（CEFR-CV: 132）

このスケールは、言語使用者／学習者が「あらかじめ用意された」表現を正しく思い出す能力と、思考を表現する際に文法形式に注目する能力の両方に関連している。これが難しいのは、思考を組み立てるときや、より負荷の高い課題を実行するとき、言語使用者／学習者は精神的な処理能力の大半をその課題を遂行するために費やさなければならないからである。そのため、複雑な課題では精度が低下する傾向がある。また、英語、フランス語、ドイツ語の研究では、学習者がより自立的、創造的に言語を使い始めるB1の頃に不正確さが増すことが示唆されている。精度が直線的に上昇しないという事実は、記述文にも反映されている。このスケールは以下のキー・コンセプトに基づき記述されている。

▶ 特定のレパートリーのコントロール（A1～B1）。

▶ 誤りの顕著さ（B1～B2）。

▶ コントロールの度合い（B2～C2）。

〈ユーザーからの声〉に応えて…

この説明文とキー・コンセプトからは、このスケールが文法表現を思い出す力と文法形式に着目する力の二つの力を内包したものであることが分かります。また、AレベルからCレベルの記述文が、具体的な研究結果に基づく学習者の文法習得過程に着目しながら作成されたことも分かります。こうした説明は、学習者の習得段階に応じた文法能力の観察ポイントに大きな示唆を与えてくれます。例えば、「Aレベル、Bレベル、Cレベルの記述文の視点のバラつきが気になる」といったユーザーの戸惑いにもヒントを与えてくれるでしょう。同様に、「【コミュニケーション言語能力】の〈叙述の精確さ〉は〈文法的正確さ〉とどう違うのか？」といった問いにも、それぞれのスケールに添えられた説明文とキー・コンセプトがヒントを与えてくれるはずです。

3
Pre-A1 レベルと年少者に関する記述の追加（ポイント③）

〈ユーザーからの声〉

・入門レベルのクラスには、A1レベルに達しない学習者がたくさんいます。こうした学習者にも、たとえわずかでもできることがありますが、評価には値しないということでしょうか？

・A1レベルに達しない学習者の場合、どのように評価をすればよいか困ります。そういう学習者もA1とレベル付けしてよいのでしょうか？

・子どもの言語教育を行っていますが、CEFRの記述文は、正直言って子どもには使いづらいものが多いです。そこは自分で考えろということなのでしょうか？

CEFR-CVでは、【コミュニケーション言語能力】の〈音韻の制御（Phonological control）〉および【手話能力（Signing competences）】のスケールを除き、すべてのスケールに Pre-A1 というレベル欄が追加されました[3]。

2001 年に CEFR が公開されて以降、言語教育現場の関係者の中からは「A1 の手前のレベルが必要だ」という声が上がっていました。特に年少者の言語教育に携わる関係者からの要望は高く、A1 の手前のレベルがないと学習者に達成感を与えづらいという意見も多く聞かれました。実は、1994 年から 1995 年にかけて CEFR の記述文の開発と尺度化を行ったスイス科学研究評議会（Swiss National Science Research Council）の調査において、A1 レベル以前に言語使用者が遂行できる一連の課題およびその課題遂行に限定された言語使用の範囲がすでに特定されていました（CEFR: 31）。そして、A1 レベルに達する前の言語能力の意義について、2001 年公開の CEFR 第 3 章で、以下のように説明され、記述文の具体例も挙げられています。

> レベル A1（Breakthrough）は、おそらく特定しうる生成言語能力の最も低い「レベル」であろう。しかし、この段階に到達する前に学習者が非常に限られた範囲の言語を用いて効果的に行うことができ、当該学習者のニーズに関連した特定の課題が存在する可能性がある。[…] 例えば、年少の学習者にとっては、この［特定の課題の］ような「マイルストーン（標石）」を細かく提供することも検討に値するかもしれない。以下の記述文は、A1 レベル以下の簡単で一般的な課題に関するものだが、初学者（beginners）にとっては有意義な目標になり得るだろう。
>
> ・指差しやジェスチャーで言葉を補いながら、簡単な買い物ができる。
> ・曜日、時間、日付を尋ねたり、伝えたりできる。
> ・基本的な挨拶ができる。

3　CEFR-CV では〈音韻の制御（Phonological control）〉および【手話能力（Signing competences）】のスケールを除くすべてのスケールに Pre-A1 の欄が設けられていますが、Pre-A1 レベルの記述文が示されているスケールは全部で 30 で、それ以外のスケールでは「参照できる記述文はない（No descriptors available）」と記載されています。

・yes、no、excuse me、please、thank you、sorry と言うことができる。
・個人情報、名前、住所、国籍、配偶者の有無など、簡単なフォームに記入することができる。
・短い簡単なはがきを書くことができる。 (CEFR: 31)

CEFR-CV で新たに追加された Pre-A1 レベルとその記述文は、2001 年当時から着目されていた A1 以下のレベルの意義が具体的な形になったものといえるでしょう。ちなみに、この Pre-A1 レベルの開発には、スイスで行われた「Swiss Lingualevel プロジェクト」と、日本で行われた「CEFR-J プロジェクト」の成果が参照されています。両プロジェクトはともに、小学校および中学校の言語教育を対象に行われたプロジェクトです。

以下の表 1 は、Pre-A1 レベルの記述文の例です。CEFR (2001) の A1 レベルの記述文と並べて見てみましょう。

表 1 Pre-A1 レベルの記述文の例（太字は筆者らによる）

【コミュニケーション言語活動：受容活動・読む理解】
〈指示を読む (Reading instructions)〉
CEFR (2001: 71)

A1	(例えば、X から Y へ行くための) 短い、簡単に書かれた指示書きを理解できる。

CEFR-CV (2020: 58)

A1	(例えば、X から Y へ行くための) 短い、簡単に書かれた指示書きを理解できる。
Pre-A1	**日常の身近な場面で使われるとても短い簡単な指示書き (例：「駐車禁止」「飲食禁止」) を、特にイラストがある場合には理解できる。**

年少者のためのスケールや記述文については、Pre-A1 レベルの追加以外にも、個別のプロジェクトチームが幅広い活動を行っています。このプロジェクトでは、対象年齢を「7〜10 歳」と「11〜15 歳」の二つに分け、具体的な記述文の整理と作成が行われました。子どもの認知的・社会的・

経験的な側面を考慮し、年齢的に適さないと判断された特に高いレベルの記述文は除外され、記述文の文言も年少者向けに整えられています。この情報は以下のサイトで公開されており、CEFRの記述文と年少者向けの記述文を対比した一覧表も掲載されています。

［7〜10歳向け］
Collated Representative Samples of Descriptors of Language Competences Developed for Young Learners - Resource for educators. Volume 1: Ages 7-10, 2018 Edition.
〈https://rm.coe.int/collated-representative-samples-descriptors-young-learners-volume-1-ag/16808b1688〉（2023.1.14）

［11〜15歳向け］
Collated Representative Samples of Descriptors of Language Competences Developed for Young Learners - Resource for educators. Volume 2: Ages 11-15, 2018 Edition.
〈https://rm.coe.int/collated-representative-samples-descriptors-young-learners-volume-2-ag/16808b1689〉（2023.1.14）

表2は、7〜10歳向けに整備されたA2レベルとA1レベルの記述文の例です。より具体的で現実的な場面における活動が示され、年少者の言語活動が念頭に置かれていることがうかがえます。

表2　CEFRの記述文と7～10歳向けの記述文の例

例1【コミュニケーション言語活動：受容活動・読む理解】A2より

〈通信を読む（Reading correspondence）〉	
CEFRの記述文	7～10歳向けの記述文
短く簡単な個人的な手紙を理解することができる。 Can understand short simple personal letters.	・短いEメール、手紙、はがきが読める。 I can read short email letters, letters and postcards. ・お知らせ、招待状、メッセージが読める。 I can read notices, invitations, messages. ・短くて簡単な個人的な手紙が理解できる。 I can understand short simple personal letters. ・家族や友達からの個人的な手紙を読んで理解できる。（例．休暇先からの手紙） I can read and understand a personal letter from my family or friends, e.g. a letter from their holidays. ・夏休みや日常生活についてのEメール、個人的な手紙、短いメモが理解できる。 I can understand e-mails, personal letters or short notes about summer holidays or daily life.

（Council of Europe, 2018a: 62）

例2【コミュニケーション言語能力：言語的能力】A1より

〈文法的正確さ（Grammatical accuracy）〉	
CEFRの記述文	7～10歳向けの記述文
学習したレパートリーの中で、いくつかの簡単な文法構造や文型を限定的にコントロールできる。 Shows only limited control of a few simple grammatical structures and sentence patterns in a learnt repertoire.	すでに知っている単語を使って短い文章を書くことができる。 I can write short sentences with words that I already know.

（Council of Europe, 2018a: 52）

〈ユーザーからの声〉に応えて…

2001年にCEFRが記していたように、A1に到達する前の学習者であっても、「限られた範囲の言語を用いて効果的に行う」ことのできるタスクがあることが、Pre-A1レベルの追加によって具体的に示されました。これにより、「A1レベルに達しない学習者の評価」についての検討もしやすくなるでしょう。また、「子どもの言語教育には使いづらい」といわれていたCEFRですが、子どもの言語使用に沿った記述文の資料が提供されたことによって、年少者に向けた授業活動や評価活動がぐんとイメージしやすくなるのではないでしょうか。

4
A1レベル・Cレベルの精緻化（ポイント④）

〈ユーザーからの声〉

- 入門〜初級クラスをよく担当しますが、スケールによってはA1レベルの記述文がなかったり、少なかったりして、評価に困っています。
- Cレベルの記述文が少なすぎて、Cレベルの能力がうまくイメージできません。
- 上級クラスを担当していますが、C1レベルやC2レベルの記述文が少なくて、ルーブリックなどを作るときに困ります。

CEFR-CVでは、2001年のCEFRで「これでは足りない」と思われていた活動や能力が追加されていて、CEFRよりも全体的に記述文の数が増えています。一見すると2001年のスケールと変わらないように見えるものであっても、じっくり読むと新しい記述文が追加されていることが分かります。表3は、CEFR-CVで追加された記述文の例です。他にも、スケールによっては、記述文が大幅に増えているものもたくさんありますので、それらを探してみるのも面白いでしょう。

表3　CEFR-CVで追加された記述文の例（太字は筆者らによる）

【コミュニケーション言語活動：相互行為活動・口頭での相互行為】
〈会話（Conversation）〉（CEFR-CV: 73-74）
※太字はCEFR-CVで追加された記述文を表している。

一つのレベルの中で記述文が追加された例：	
A2	・Can handle very short social exchanges but is rarely able to understand enough to keep conversation going of their own accord, though they can be made to understand if the interlocutor will take the trouble. ・Can use simple, everyday, polite forms of greeting and address. **・Can converse in simple language with peers, colleagues or members of a host family, asking questions and understanding answers relating to most routine matters.** ・Can make and respond to invitations, suggestions and apologies. **・Can express how they are feeling, using very basic stock expressions.** ・Can state what they like and dislike.
「＋」のレベルが設けられ、記述文が追加された例：	
B2＋	**・Can establish a relationship with interlocutors through sympathetic questioning and expressions of agreement plus, if appropriate, comments about third parties or shared conditions.** **・Can indicate reservations and reluctance, state conditions when agreeing to requests or granting permission, and ask for understanding of their own position.**
B2	・Can engage in extended conversation on most general topics in a clearly participatory fashion, even in a [audially/visually] noisy environment. ・Can sustain relationships with users of the target language without unintentionally amusing or irritating them or requiring them to behave other than they would with another proficient language user. ・Can convey degrees of emotion and highlight the personal significance of events and experiences.

特に、2001年のCEFRでは記述文がなかったり、少なめだったりしたA1レベルとCレベル（特にC2レベル）の記述文が、CEFR-CVではかなり充実しました。

また、表4は、A1・C1・C2レベルの「記述文があるスケールの合計数」を示したものです。それぞれ、CEFRとCEFR-CVの数を見比べてみると、CEFR-CV では多くのスケールで記述文が新たに追加され、A1 レベルと C レベルの特徴が以前より詳しく示されたことが分かります。

表 4　A1・C1・C2 レベルの「記述文があるスケール数」：CEFR と CEFR-CV の比較

（グレーの網掛けは、CEFR-CV で記述文が増えているもの）

カテゴリー		記述文があるスケールの合計数					
		A1		C1		C2	
		CEFR	CEFR-CV	CEFR	CEFR-CV	CEFR	CEFR-CV
コミュニケーション言語活動							
受容	口頭での理解	2	5	5	5	2	3
	視聴覚での理解	0	1	1	1	0	0
	読む理解	5	5	4	4	1	3
	方略	0	1	1	1	0	1
産出	口頭での産出	3	3	3	5	3	3
	筆記での産出	2	2	2	3	3	3
	方略	0	1	1	3	2	2
相互行為	口頭での相互行為	7	8	8	8	5	6
	筆記での相互行為	3	3	2	2	0	2
	方略	0	1	1	3	0	1
コミュニケーション言語能力							
言語的能力		5	5	5	6	5	6
社会言語的能力		1	1	1	1	1	1
言語運用能力		2	3	3	5	4	5

注．CEFR（2001）からそのまま受け継がれているスケールのみの情報です。CEFR-CV で新たに追加されたスケールやカテゴリーは含んでいません。

〈ユーザーからの声〉に応えて…

表で見た通り、記述文が不足気味だったA1レベルとCレベルの記述文が多く追加されたことによって、具体的な活動や能力がより理解しやすくなり、それぞれのレベルの特徴もつかみやすくなりました。「A1レベル／Cレベルの評価やルーブリック作成に困る」「Cレベルの能力がうまくイメージできない」といったユーザーの困りごとを解決する大きなヒントとなるでしょう。

5
多様な言語使用者に向けた多目的化（ポイント⑤）

〈ユーザーからの声〉

- CEFRは「理想的な母語話者」をモデルとしないと言っているのに、「母語話者」ということばが記述文の中にいくつか見られます。矛盾していませんか？
- LGBTQの学習者も多い中、例えば英語版の記述文の中に見られる「he/she」や「his/her」といった表現に違和感を覚えます。

CEFRとCEFR-CVを見比べると、記述文の中で使用されていることばには二つの大きな変更が見られます。

一つは、「母語話者（native speakers）」という用語が完全に消えたことです。CEFR-CVでは「「母語話者」に基づいて言語的適正の有無に触れている記述文についても修正が加えられた。CEFRが最初に公開されて以来、この用語は論議の的となっていたためである」（CEFR-CV: 24）と説明されています。CEFRは、複言語主義の考え方に基づき、2001年の公開当時から「理想的母語話者」を目標としないと謳っていますが、記述文の中では「native speakers」という用語が複数箇所で用いられていました。この矛盾は、CEFR-CVで「native speakers」という用語が他の表現に修正されたことによって解消されました。

以下の表5はその例です。「native speakers（母語話者）」という用語が、「users of the target language（対象言語の使用者）」や「proficient speaker（熟達した話者）」などの表現に変わっていることが分かります。

表5 「native speaker」という用語が変更された例（太字は筆者らによる）

【コミュニケーション言語活動：相互行為活動・口頭での相互行為】
〈会話（Conversation）〉B2

CEFR (2001)	Can sustain relationships with **native speakers** without unintentionally amusing or irritating them or requiring them to behave other than they would with **a native speaker**.
CEFR-CV (2020)	Can sustain relationships with **users of the target language** without unintentionally amusing or irritating them or requiring them to behave other than they would with **another proficient speaker/signer**.

もう一つは、記述文の中で用いられていた人称代名詞の「he/she」「him/her」「his/her」といった表現がすべて「they」「them」「their」などの表現に修正されたという点です。これは、一般社会でも見られるようになったジェンダーニュートラルな表現を目指したものです。以下の表6がその例です。

表6 ジェンダーニュートラルな表現に変更された例（太字は筆者らによる）

【コミュニケーション言語活動：産出活動・口頭での産出】
〈持続的な独話：経験を語る（Sustained monologue: describing experience）〉A1

CEFR (2001)	Can describe **him/herself**, what **he/she** does and where **he/she** lives.
CEFR-CV (2020)	Can describe **themselves**, what **they** do and where **they** live.

CEFR-CV における「多様な言語使用者に向けた多目的化」としては、上記の二つ以外に、手話言語を包摂するための表現の修正も見られます。これについては、本書第 4 章で例を挙げながら詳しく触れたいと思います。

〈ユーザーからの声〉に応えて…

長らく議論の的となっていた「母語話者」という表現が修正されたことによって、CEFR の理念である複言語・複文化主義の考え方はいっそう明確になり、「「理想的な母語話者」をモデルとしないという考え方との矛盾」も解消されました。また、人称代名詞の修正は、CEFR がジェンダーニュートラルな視点からも多様な市民を包摂する「質の高いインクルーシブ教育」を目指そうとしていることを表明した証といえるでしょう。

第3章 【コミュニケーション言語活動】【コミュニケーション言語能力】で更新されたこと

第3章から第5章では、カテゴリー別に更新された内容を整理しています。まず、本章では、【コミュニケーション言語活動】と【コミュニケーション言語能力】がどのように更新されたか見ていきます。

更新された点は以下の4点です。では、具体例とともに見てみましょう。

【コミュニケーション言語活動】

1. 今どきの言語活動を描いたOnline系カテゴリー
2. 楽しむ言語活動を描いた【読む理解】のスケール

【コミュニケーション言語能力】

3. 大幅に更新された〈音韻の制御〉のスケール
4. 満を持して登場した【複言語・複文化能力】カテゴリーとスケール

1
今どきの言語活動を描いたOnline系カテゴリー

〈ユーザーからの声〉
- 特に中級以上のクラスではYouTubeなどを使った授業活動も増えていますが、〈テレビ、映画を観る（Watching TV and film)〉というスケールの記述文が少なくて困っています。
- LINEなどのやりとりは【相互行為活動】【読む理解】【口頭での産出】のどのスケールを参照すればよいのでしょうか？　いろいろ組み合わせる必要がありますか？
- SNS上でのやりとりは、口頭で行われる会話とは違うと思うのですが、どのスケールを見ればよいのでしょうか？
- ビジネスマンに教えています。オンライン会議に参加できるようになるための授業活動をしていますが、適切な記述文がなくて、レベルのイメージが難しいです。

2001年のCEFR公開から約20年の間にICT技術は目覚ましく進化し、インターネットを用いたオンライン上での活動やコミュニケーションは、多くの人々にとって日常的な言語活動となりました。また、そのためのツールが簡便化・軽量化されたことで、オンライン授業やオンライン会議などを含め、その活動頻度もぐんと高まりました。この点を考慮し、CEFR-CVではさまざまな工夫が施されました。その具体的な例を三つ見てみましょう。

●例1　名称の更新：【受容活動・視聴覚での理解】(CEFR-CV: 52-53)

受容活動の中に、【視聴覚での理解（Audio-visual comprehension)】に関するスケールがあります。CEFRでは〈テレビ、映画を観る（Watching TV and film)〉であったこのスケールの名称が、CEFR-CVでは〈テレビ、映画、動画を観る（Watching TV, film and video)〉と、「video」が追加されました。近年の動画配信／共有サービスや動画アプリの増加が反映されたといえます。また、動画配信の増加に伴い、私たちの日常では、視聴覚の活動頻度が以前よりも高まりを見せています。こうした現状を受け、以下の表1のように記述文の数も増えています。

表1 【受容活動・視聴覚での理解】の記述文の数

	CEFR (2001: 71)	CEFR-CV (2020: 52-53)
	〈テレビ、映画を観る〉(Watching TV and film)	〈テレビ、映画、動画を観る〉(Watching TV, film and video)
C2	記述文なし（C1と同じ）	記述文なし（C1と同じ）
C1	1	3
B2＋	レベル設定なし	1
B2	2	2
B1＋	1	1
B1	2	2
A2＋	1	2
A2	1	1
A1	記述文なし	1
Pre-A1	レベル設定なし	1

図1は、【受容】の樹形図です。太枠で示した箇所が〈テレビ、映画、動画を観る（Watching TV, film and video)〉のスケールを示しています。

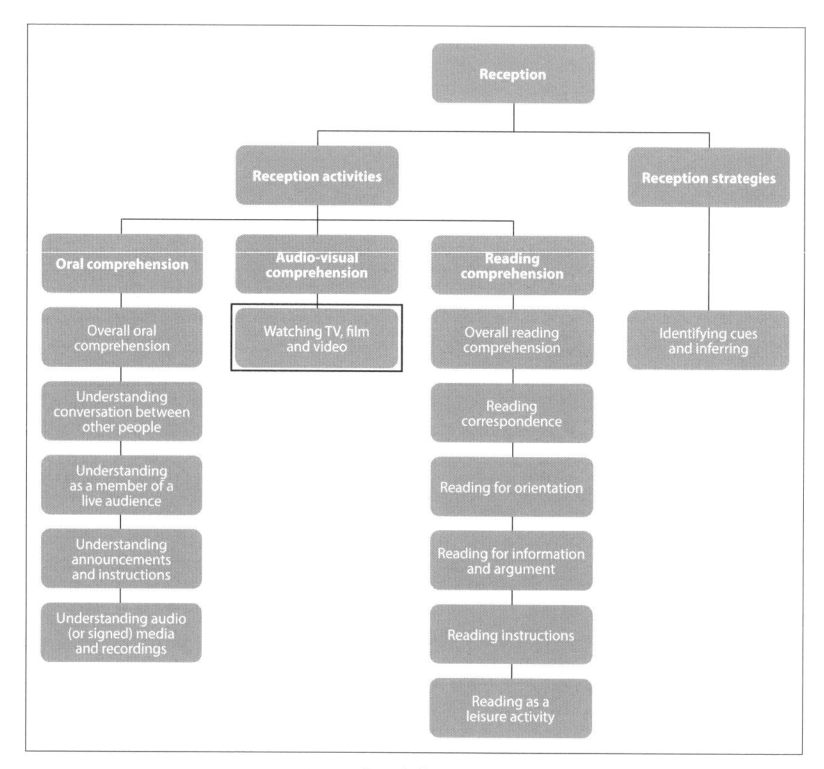

図1 【受容】の樹形図
（CEFR-CV: 47, Figure 11 グレースケールに変換。太枠は筆者らによる）

●例2 スケールの追加：【相互行為活動・口頭での相互行為】〈遠隔通信を用いる（Using telecommunications)〉（CEFR-CV: 81）

相互行為活動の中の【口頭での相互行為】のカテゴリーに、新たに〈遠隔通信を用いる（Using telecommunications)〉というスケールが追加されました。これは、遠隔コミュニケーションのための、電話やインターネット・アプリの使用に関するスケールで、記述文は、情報／取引の内容、対話相手、やりとりの長さの3点を中心に作成されていると、CEFR-CVのキー・コンセプトでは説明されています（CEFR-CV: 81）。図2の樹形図の中に、このスケールが確認できます。

●例 3　カテゴリーの追加：【相互行為活動・オンラインでの相互行為】（CEFR-CV: 84-87）

相互行為活動の中に【オンラインでの相互行為（Online interaction）】というカテゴリーが新たに追加され、〈オンラインでの会話、話し合い（Online conversation and discussion）〉と〈目標志向のオンラインでの取引、協働（Goal-oriented online transactions and collaboration）〉という 2 種類のスケールが提供されました。前者はオンラインコミュニケーションの「方法」に注目したもので、後者はオンラインでのやりとりや取引の「協働性」に注目したものであると、説明されています（CEFR-CV: 84, 86）。

この【オンラインでの相互行為】の特徴について、CEFR-CV では、「オンラインコミュニケーションは常に機器を介して行われるため、対面でのやりとりと全く同じようにはいかない」（CEFR-CV: 84）と述べ、これまでのスケールでは対応が難しいとしています。そして、オンラインではリソースや資料の共有がリアルタイムで可能であるといった利点がある一方で、対面コミュニケーションだと比較的対応が容易な「誤解の解消」がオンラインではなかなか難しいといった例を挙げています（CEFR-CV: 84）。そこで、より良いオンラインコミュニケーションには、以下の 4 点が求められることを示し、これらを記述文にも反映させています。

- （対面コミュニケーションよりも）メッセージをより繰り返す必要性
- メッセージが正確に理解されたかどうかを確認する必要性
- 誤解に対処すべく、（相手の）理解を助けるために再構成する能力
- 感情的な反応に対応する能力　　（CEFR-CV: 84）

例えば、〈オンラインでの会話、話し合い（Online conversation and discussion）〉というスケールの C2 レベルには以下のような記述文が見られます。

C2：オンラインディスカッションにおいて起こりうる（文化的なものを含む）誤解、コミュニケーション上の問題、感情的な反応を予測し、効果的に対処することができる。　(CEFR-CV: 85)

図2は、【相互行為】の樹形図です。太枠で示した箇所が〈遠隔通信を用いる（Using telecommunications)〉と【オンラインでの相互行為（Online interaction)】です。

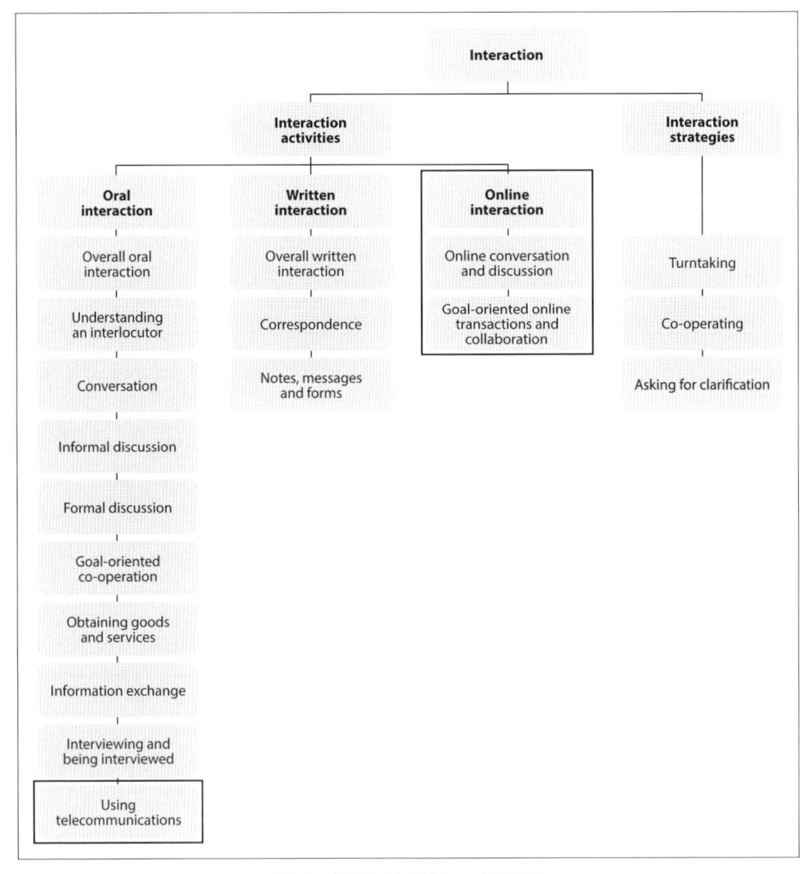

図2 【相互行為】の樹形図

(CEFR-CV: 71, Figure 13 グレースケールに変換。太枠は筆者らによる)

〈ユーザーからの声〉に応えて…
オンライン上での言語活動が日常化している現状を受け、CEFRのスケールや記述文にもさまざまな修正や追加が行われました。これまでのスケールだけでは対応が難しかった新たな言語活動に多くの示唆を与えてくれることでしょう。「動画視聴の授業活動」「メッセージアプリ／SNSでのやりとり」「オンライン会議に参加するための授業活動」に対応するためのスケールや記述文が十分ではないといった悩みや疑問も解消されるのではないでしょうか。

2
楽しむ言語活動を描いた【読む理解】のスケール

〈ユーザーからの声〉
- 授業では文学作品を精読する活動も行っています。こうした読解活動を評価するためのスケールが見当たりません。このような「味わう」活動は、CEFRのcan doには含まれないのでしょうか？
- 授業活動の一環として「多読」に取り組んでいます。この活動に関連する記述文は、どれを参照すればよいのでしょうか？
- 〈テレビ、映画を観る〉という活動のスケールはあるのに、「小説やマンガを読む」という活動のスケールがないのはなぜでしょうか？

私たち人間は、生存するため、働くためだけにことばを使って活動をしているわけではありません。楽しむこと（娯楽）も人生を豊かにする言語活動の一つです。CEFRはこうした娯楽にも着目しており、このことは2001年当時から受容活動の中に〈テレビ、映画を観る（Watching TV and film)〉というスケールが提示されていたことからも明らかです。

CEFR-CVでは、この視点が「読む」にも反映され、新たに〈余暇の活動として読む（Reading as a leisure activity)〉というスケールが追加されました。

この〈余暇の活動として読む〉というスケールは、「創作テキスト、さまざまな形態の文学、雑誌や新聞の記事、ブログや伝記など、個人の興味に応じたさまざまなタイプのテキスト」を対象とし、「挿絵や図などがあるかどうか」「テキストタイプ」「題材」「文体」「読解の難易度」「理解の深まり」などのポイントから作成されていると説明されています（CEFR-CV: 58)。これらのポイントは、小説などを用いた授業のデザインを検討するのに役立つでしょう。

ちなみに、このスケールの追加と呼応するように、【仲介活動（Mediation activities)】にも〈創作テキストへの個人的な感想を表現する（文学を含む）(Expressing a personal response to creative texts (including literature))〉と〈創作テキストの分析と批評（文学を含む）(Analysis and criticism of creative texts (including literature))〉という二つのスケールが追加されています。

図3は、【受容】の樹形図です。太枠で示した箇所が〈余暇の活動として読む（Reading as a leisure activity)〉のスケールを示しています。

〈ユーザーからの声〉に応えて…

2001年のCEFRで既に公開されていた〈テレビ、映画を観る(Watching TV and film)〉というスケールに加え、CEFR-CVで〈余暇の活動として読む（Reading as a leisure activity)〉というスケールが追加されたことによって、「楽しむための言語活動（娯楽活動)」も社会的行為者のコミュニケーション言語活動の一つであることがより明確に示されたといえるでしょう。授業などで行われる「文学作品やマンガを味わう」「多読」といった活動にも役立つものと思われます。

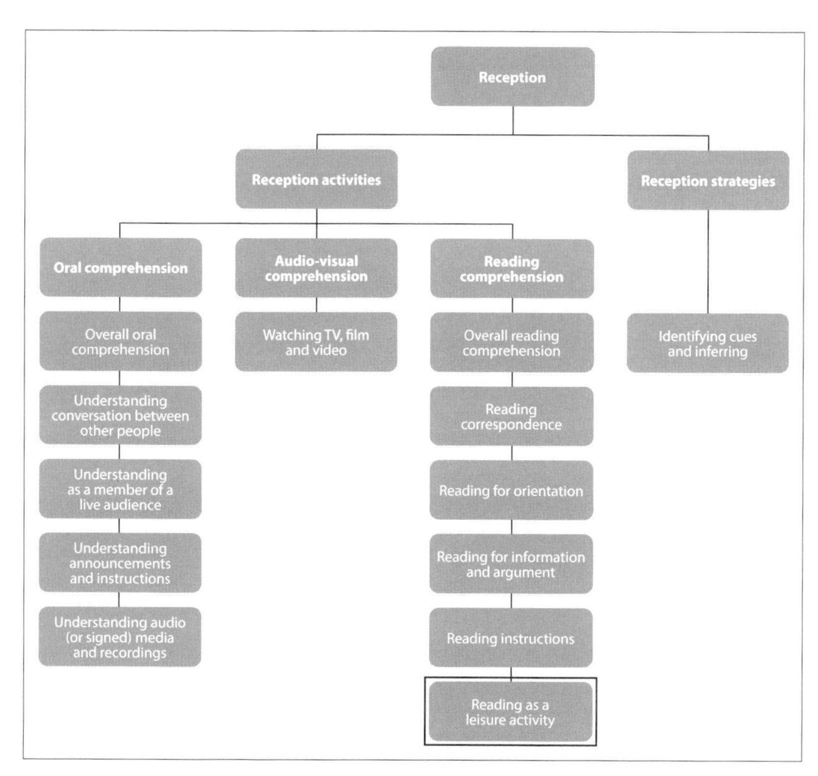

図３　【受容】の樹形図

（CEFR-CV: 47, Figure 11 グレースケールに変換。太枠は筆者らによる）

3
大幅に更新された〈音韻の制御〉のスケール

〈ユーザーからの声〉

- 口頭試験では「発音」も評価したいのですが、記述文があまり具体的ではないため、参照しづらいです。
- 授業でよく発音指導に取り組んでいますが、音韻の can do が少なすぎて、あまり役に立ちません。また、何を根拠にレベル分けされているのかもよく分かりません。
- CEFR では、一つ一つの発音の正確さとイントネーションなどのプロソディー的な能力のどちらを大事だと考えているのでしょうか？

【コミュニケーション言語能力】の【言語的能力（Linguistic competence)】というカテゴリーの中に、〈音韻の制御（Phonological control)〉というスケールがあります。このスケールについては、CEFR-CV の中で「2001 年版の記述文の研究では、音韻のスケールが最も不首尾に終わっていた」(2020: 133）と自己評価し、以下のように説明しています。

> 言語教育では伝統的に、理想的な母語話者の音韻制御が目標とされ、なまり（accent）があることは不十分な音韻制御の指標とされてきた。このような発音の通じやすさより正確さを重視する姿勢は、音声教育の発展に悪影響を及ぼし、なまりを軽視する理想化されたモデルは、文脈、社会言語学的側面、学習者のニーズへの配慮を欠いていた。2001 年のスケールはこのような見解を助長しているように思われたため、スケールを再度開発し直した。　　　(CEFR-CV: 133)

このスケールの再開発のためにプロジェクトチームが結成され、その成果は『CEFR - Phonological scale revision process report』(Piccardo, 2016）として報告されています。

では、具体的にどのような点が更新されたのでしょうか。詳細は、ぜひ〈音韻の制御〉のスケールをじっくり読んでみていただきたいと思いますが、以下に特徴的なポイントを4点まとめてみます。

①スケールが三つに下位分類された：

CEFRでは一つのシンプルなスケールであったものが、CEFR-CVでは〈総括的な音韻の制御（Overall phonological control)〉に加え、〈音の正確さ（Sound articulation)〉と〈韻律的な特徴（Prosodic features)〉という二つのスケールも示されました。これによって、音韻の制御能力を「音」と「プロソディー」という二つの側面からそれぞれ着目しやすくなりました。

②「native speakers」という表現が「interlocutors」という語に置き換わった：

本書第2章の「5. 多様な言語使用者に向けた多目的化（ポイント⑤)」(pp. 56-58）でも記したように、〈音韻の制御〉のスケールにおいても「native speakers（母語話者)」という表現が消えました。代わって「interlocutors（対話者)」という単語が用いられ、特にAレベルでは対話相手のレディネスや態度によって、話者の発話への理解度が左右されることが記述文に示されています。例えば、〈音の正確さ〉のA2レベルには以下のような記述文が見られます。

> A2：対話者が話し手の発音上の言語的背景の影響を認識しそれに合わせようと努めるなら、音素の体系的な発音の誤りは理解を妨げるものではない。 (CEFR-CV: 135)

③発話者の「なまり（accent)」がかなり肯定的に受け入れられている：

母語話者を理想的モデルとしないというCEFRの考え方と呼応するように、発話者の持つ「なまり」を悪しきものと捉えず、そもそも備わっているものとして肯定的に捉えていることが記述文からはうかがえます。例えば、〈総括的な音韻の制御〉のC2レベルには以下のような記述文が見られます。

C2：他の言語がもたらすなまり（accent）の特徴によって、意味の明瞭さ、意味の効果的な伝達、意味の強調が影響を受けることはない。　（CEFR-CV: 134）

つまり、なまりの有無それ自体に着目するのではなく、対話者とのコミュニケーションにおいてなまりが与える影響の有無に着目しているということです。言い換えると、対話者とのコミュニケーションに影響を及ぼさないなまりは受容されるということです。

④音韻的な問題に対するメタ認知力・モニター力に言及している：

自分が発する音韻について、自分の持つ知識を応用したり、自分の誤りを自己修正したりできる能力について、〈音の正確さ〉の B2 レベル、C1 レベルには以下のような記述文が見られます。

B2：ほとんど馴染みのない単語の音韻的特徴（例．単語の強弱アクセント）を適正に予測するために、手持ちのレパートリーから一般化できる。　（CEFR-CV: 134）

C1：対象言語のほぼすべての音を高度に制御してはっきりと発音できる。ある音を著しく誤って発音した場合には、たいてい自己修正できる。　（CEFR-CV: 134）

B2 レベルでは、自分の既有の音韻的知識を活用して、ルールの一般化を試みることのできる能力が描かれています。また、C1 レベルでは、自分の誤りに自ら気づき、それに対して自己修正ができる能力が描かれています。音韻の制御におけるこうした視点は、CEFR-CV で新たに盛り込まれた視点です。

〈ユーザーからの声〉に応えて…

CEFR-CVでは〈音韻の制御（Phonological control)〉のスケールが大幅に刷新されました。〈総括的な音韻の制御（Overall phonological control)〉に加え、〈音の正確さ（Sound articulation)〉と〈韻律的な特徴（Prosodic features)〉という二つのスケールが追加されたことによって、「一つ一つの発音」と「プロソディー」の両面に着目していることが示されました。それぞれ、A1レベル〜C2レベルの詳しい記述文も例示されましたので、「発音の評価」や「発音指導」にも役に立つことでしょう。

4 満を持して登場した【複言語・複文化能力】カテゴリーとスケール

〈ユーザーからの声〉

・CEFRが重要視している複言語・複文化能力のスケールや記述文は、公開されないのでしょうか？
・職場の同僚と複言語・複文化能力について情報共有したいのですが、具体的な例がないためにうまく話し合いができません。
・複言語・複文化能力の考え方にとても興味があり共感できるのですが、具体的にどのような能力を指すのか、いまひとつよく分かりません。

複言語・複文化能力については、2001年のCEFRの中で繰り返し詳説されており、その概念がCEFR-CVにもそのまま継承されています。本書第1章の「2. 複言語・複文化主義」「3. 複言語・複文化能力」「4. 社会的行為者と言語活動」でも具体例を挙げながら概説していますので、ご参照ください（pp. 17-25）。

CEFRの基本理念ともいえるこの複言語・複文化能力の考え方をより強調するように、CEFR-CVでは新たに【複言語・複文化能力（Plurilingual and pluricultural competence)】という能力カテゴリーが追加され、次の三つのスケールが提供されました。

①〈複文化レパートリーを構築する（Building on pluricultural repertoire)〉
②〈複言語的な理解（Plurilingual comprehension)〉
③〈複言語レパートリーを構築する（Building on plurilingual repertoire)〉

ちなみに、CEFR-CVの付録6（Appendix 6）では、これらのスケールが【仲介】のスケールの開発とともに行われたことが記載されており(CEFR-CV: 245)、ここで描かれている能力について理解を深めるには、複言語・複文化能力が「社会と紐づいた活動」を達成するために必要な能力であることを理解しておくことが大切でしょう。

以下の図4は、【複言語・複文化能力】の樹形図です。

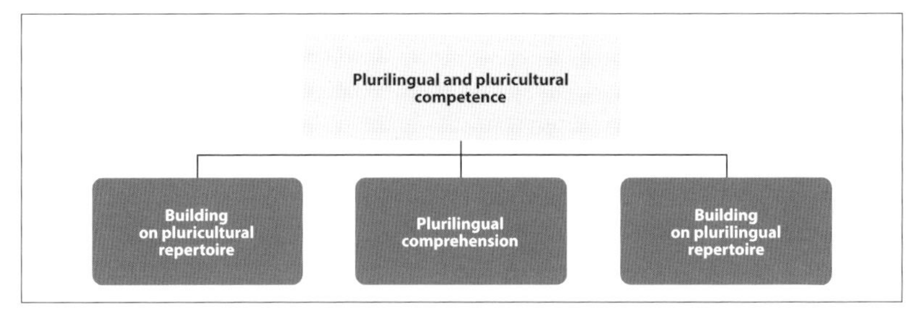

図4 【複言語・複文化能力】の樹形図
（CEFR-CV: 123, Figure 15 グレースケールに変換）

では、以下に、それぞれのスケールの特徴を整理してみます。

①〈複文化レパートリーを構築する（Building on pluricultural repertoire)〉

このスケールは、コミュニケーションにおいて活用される複文化能力に関するもので、その「知識（knowledge）や態度（attitudes）よりも技能

（skills）に焦点が当てられている」（CEFR-CV: 24）と説明されています。異文化間能力や社会言語能力とも密接に関連する記述文が提供されているため、【コミュニケーション言語能力】の一つである〈社会言語的な適切さ（Sociolinguistic appropriateness）〉というスケールとの整合性が高いとされています（CEFR-CV: 24, 124）。つまり、〈複文化レパートリーを構築する〉とは、さまざまな社会の文化や言語の知識のみを増やしていくことを目指すのではなく、言語使用者が触れたさまざまな社会における考え方やその特徴を理解しながら、社会的行為者としてタスクを達成する技能を身につけることを目指しているといえます。そのタスクには「仲介」も含まれ、また、その達成には「社会言語的な適切さ」が重要な役割を果たすと考えられています。

②〈複言語的な理解（Plurilingual comprehension）〉

このスケールは、「コミュニケーションの目標を達成するために、（部分的であっても）一つまたは複数の言語に関する知識と能力を、他の言語テキストにアプローチするための手段として使用する能力」（CEFR-CV: 126）に着目したものです。例えば、完全に同義ではないことを認識した上で日本語の漢語の知識を用いて中国語の意味を類推できるような力や、複数の異なる言語リソースから必要な情報を収集する力などを基盤とした記述文が作成されています（CEFR-CV: 126）。この考え方の背景には、一つ一つの言語能力はバラバラに存在するのではなく、すべての言語能力は相互補完的に作用し、たとえA1レベルの言語使用者であっても社会の中で目的行動を果たすことのできる能力を有しているという「複言語能力」の視点がうかがえます。これは、すべての言語使用者は社会的行為者であるという、CEFRの底を流れる考え方が反映されたものといえます。複言語能力の有り様は言語使用者によって一人ひとり異なります。このスケールからは、言語を学んだり使ったりする際に、一人ひとりの言語使用者が、自らが有するさまざまな言語や文化のレパートリーを意識的に活用して学びや活動を進めていく姿も見えてきます。

③〈複言語レパートリーを構築する（Building on plurilingual repertoire）〉

このスケールは、多言語状況下でのコミュニケーションや、共通言語を持たない者同士を仲介するような場面において、複数の言語資源が活用される場面を念頭に作成されています。複数の使用可能な言語のうち、能力の低いほうの言語がどのくらい機能するかによってレベル別の記述文が提供されています。記述文は、複数の言語使用が有効かどうかを予測できる力や、相手の言語能力に応じて言語を調整できる力などに着目して作成されています（CEFR-CV: 24, 127）。このスケールには、複言語レパートリーを用いながら、人と人、コミュニティとコミュニティを結び付けていく様子が描かれているといえるでしょう。

複言語・複文化能力と大きく関連するものとして、CEFR-CVで新たにスケールが公開された【仲介活動（Mediation activities）】の一つ、【コミュニケーションの仲介（Mediating communication）】というカテゴリーが挙げられます。その内容については、本書第5章で詳しく説明します。

複言語・複文化能力については、2012年に欧州評議会欧州現代語センター（European Centre for Modern Languages of the Council of Europe: ECML）が公開した『言語と文化に対する多元的アプローチのための参照枠：能力とリソース（*A Framework of Reference for Pluralistic Approaches to Languages and Cultures: Competences and resources*）』（通称：英語ではFREPA、フランス語ではCARAP）（Candelier他, 2012）でより詳しく説明されています。このFREPA/CARAPでは、複言語・複文化能力が次の三つのカテゴリーに整理され、CEFR-CVよりも詳細で具体的な記述文[1]が例示されています。

1　FREPA/CARAPで提示されている記述文は日本語にも翻訳されています。以下のサイトのJapanese → List of Resourcesからダウンロードが可能です。なお、この記述文にはCEFRのスケールのようなA1〜C2のレベルはなく、知識はK、態度はA、技能はSで通し番号が付けられています（例. K-1、K-2、K-3）。
〈https://carap.ecml.at/FREPAinstrumentsinotherlanguages/tabid/3194/language/en-GB/Default.aspx〉（2023.1.22）
また、「複言語・複文化能力」および「複言語教育」については、西山・大山（2023）に詳しく紹介されています。

・知識（knowledge/savoir）
・態度（attitudes/savoir-être）
・技能（skills/savoir-faire）

この三つのカテゴリーは、CEFR が示す【一般的能力（General competences)】に含まれる〈叙述的知識（Declarative knowledge/savoir)〉〈実存的能力（'Existential' competence/savoir-être)〉〈技能とノウハウ（Skills and know-how/savoir-faire)〉と同じものを指しています（CEFR: 101-106)。【一般的能力】の詳細については、『日本語教師のための CEFR』（奥村・櫻井・鈴木, 2016: 56-59）をご参照ください。

複言語・複文化能力の記述文をレベルごとに例示することについては、その意義や妥当性をめぐって賛否両論[2] がありますが、CEFR-CV では、その目的を「言語使用者／学習者の言語レベルとの関連において、現実的な複言語・複文化的目標の選択を促進することを意図している」（CEFR-CV: 124）と、説明しています。また、カリキュラム開発者や教師が「それぞれの文脈において言語教育の視野を広げること」および「学習者の言語的・文化的多様性を認識し尊重すること」に努めるよう後押しすることも、公開の理由としています（CEFR-CV: 124)。

2　西山（2018）を参照。

〈ユーザーからの声〉に応えて…

「複言語・複文化能力とは、具体的にどのような能力を指すのか分からない」といった疑問や困惑に応えるように、CEFR-CVでは三つのスケールとA1～C2の記述文が公開されました。これにより、複言語・複文化能力とはどんな能力であるのか、また、レベル分けできる／すべきものなのかどうかという点も含め、広く議論するための叩き台が提供されたといえるでしょう。職場の同僚や関係者とともに、複言語・複文化能力を育む学びや教育について話し合うきっかけにもなると思われます。

第4章

「手話」について更新されたこと

本章では、インクルーシブ教育も視野に入れたCEFR-CVで、「手話」がどのように更新されたかを見ていきましょう。まず「手話」が取り上げられた背景を示した上で、更新された内容を整理していきます。

1
CEFR-CVで「手話」が大きく取り上げられた背景

CEFR-CVは、社会的行為者がいっそう多様化している社会変化の現状の中、インクルーシブ教育により貢献できるよう、あらゆる言語使用者／学習者を包摂したフレームワークの作成を目指しています。すべての言語使用者が社会参加できることを願うこの視点は、2001年のCEFRから踏襲されており、例えばCEFRには次のような記載が見られます。

> （テキストやメディアによるさまざまな言語活動が）学習困難や感覚／運動障害を持つ人々が外国語を学んだり使用したりすることを妨げるものであってはならない。［…］適切な方法と方略の使用は、学習困難を持つ若者たちに価値とやりがいのある外国語学習という目的の達成と目覚ましい成果を上げることを可能にしてきた。また、読唇術、残存聴力の活用、発話訓練は、重度聴覚障害者に第二言語習得や

> 外国語で高度な音声コミュニケーションの実現を可能にしてきた。十分な意志と励ましがあれば、人間はコミュニケーションの障壁もテキストの産出・理解の障壁も克服することのできる驚くべき能力を有している。
>
> （CEFR: 94）

このテキストからは、CEFR が公開当初からあらゆる人々が持つ能力に着目し、すべての言語使用者／学習者を包摂し、支援を行おうとする姿勢がうかがえます。

例えば、世界の言語はその様式から「音声言語（spoken language）」と「手話言語（sign language）」の二つに大きく分けることができますが、手話言語も音声言語と同様、メッセージを伝え、受け取り、やりとりをするといった機能を持つ言語であることになんら相違はありません。CEFR-CV には、2001 年に CEFR が公開されて以降、音声言語の教育と同様に、手話言語の教育でも、学習目標の設定、カリキュラム作成、能力レベルの共有などに CEFR が参照・活用されてきたことが報告されています（CEFR-CV: 252）。

その一方で、「パラ言語コミュニケーションは、確立された手話言語とは慎重に区別されるべきである。現在のところ手話言語は CEFR の範囲外に置かれているものの、手話言語分野の専門家たちは CEFR の概念やカテゴリーの多くを自分たちの分野と結び付けるかもしれない」（CEFR: 90）と、音声言語のジェスチャーなどとは異なる手話言語の特性に別途配慮しながら CEFR を参照する必要があることを 2001 年当時から示唆していました。

そこで、CEFR を手話言語にもしっかり対応させていくための具体的な取り組みが、「欧州評議会欧州現代語センター（European Centre for Modern Languages of the Council of Europe: ECML）」の「PRO-Sign（Signed languages for professional purposes）プロジェクト」によって進められました。このプロジェクトは、手話言語の熟達レベルを提示しようとする初の取り組みで、現在、欧州および世界各地におけるろう研究や手話通訳プログラムで参照可能なスタンダードの確立に貢献しています。これに伴い、CEFR（2001）の記述文の国際手話による動画化も進められており、ホームページ上[1]で順次公開されています。

CEFR-CVには、このプロジェクトの成果が大いに反映されています。具体的な更新内容については後述していきます。

2 手話言語の特徴および音声言語との共通点・相違点

では、手話言語は、音声言語とどのような共通点と相違点があるのでしょうか。以下は、手話言語についてCEFR-CVで言及されている大切な点を整理したものです（CEFR-CV: 143, 252）。

●音声言語との共通点

- 手話言語も国によって異なり、同じ国に複数の手話言語が存在することもある。
- 手話言語も、統語論、意味論、形態論、音韻論から言語学的に整理することができ、これらは手話の種類によってそれぞれ異なる。
- 手話言語の言語習得や言語処理などのプロセスは、音声言語のプロセスと同じである。

●音声言語との相違点

- 手話言語は単なる身振りや手振りを使ったパラ言語的なコミュニケーション形式ではなく、また、音声言語の意味を伝えるための媒体でもない。
- 手話言語では、手や腕の動きに加え、顔の表情、身体の向き、頭の動きなども重要な役割を持つ。

---

1 「PRO-Sign」ホームページ：〈https://www.ecml.at/ECML-Programme/Programme2012-2015/ProSign/PRO-Sign-referencelevels/tabid/1844/Default.aspx〉（2023.1.25）

このように、手話言語と音声言語には共通点もあれば相違点もあり、こうした事実を踏まえた上で、CEFR-CVでは修正・加筆・追加が行われました。では、その具体的な内容について、次節で見てみましょう。

3 記述文の更新とスケールの追加

〈ユーザーからの声〉

・CEFRは音声言語だけを対象として作成されているのでしょうか？

・CEFRはさまざまな言語に翻訳されていますが、手話の翻訳バージョンはありますか？

・私が勤める言語センターには各種言語に加えて、手話のコースもあります。手話にもCEFRの記述文は使えるのでしょうか？

このようなさまざまな声にCEFRはどのように応えたのでしょうか。

まず、手話言語による言語活動にも十全に対応できるように従来の【コミュニケーション言語活動・方略】のスケールと記述文に加筆・修正が行われました（以下①）。また、手話言語の言語的特性を考慮した【手話能力】という能力カテゴリーが新たに追加され、各種スケールと記述文[2]が例示されました（以下②）。CEFRは手話教師や手話通訳者／士の養成および資格取得にも影響を与えていたため、このCEFR-CVでの更新に対しては、多くの聴覚障害者団体からも強い支持を得たと、CEFR-CVには記されています（CEFR-CV: 252）。以下に、従来の記述文の変更と新たなスケールの加筆の順に具体例を見ていきましょう。

2　手話言語の記述文の開発はチューリッヒ応用科学大学のプロジェクトチームによって行われ、その成果は「PRO-Sign」のホームページ上で公開されています。

① CEFR（2001）の記述文の更新

【コミュニケーション言語活動・方略】のスケールは、手話言語でも音声言語でも共有することが可能です。なぜなら、手話言語も音声言語も目的を持った言語活動を遂行するための機能を持つ人間の言語だからです。しかしながら、2001年に公開された【コミュニケーション言語能力】のスケールは、特に音声言語の言語的特性に着目して作成されていたため、手話言語には適さない記述も散見されました。そこで、CEFR-CVでは、手話言語にも対応可能なスケール名と記述文の表現の修正が行われました。

CEFRとCEFR-CVを見比べると、スケールの名称が一部変わっていることに気づきます。例えば、2001年のCEFRで使われていた「listening」「spoken」という単語が、すべて「oral」または「understanding」などの表現に変更されており、また、「signed」ということばが追加されている箇所も見られます。表1は、その一部を例示したものです。

表1　スケール名の変更の例（太字は筆者らによる）

CEFR（2001、変更前）	CEFR-CV（2020、変更後）
Overall **listening** comprehension	Overall **oral** comprehension
Identifying cues and inferring (spoken & written)	Identifying cues and inferring (spoken, **signed** and written)
Overall **spoken** interaction	Overall **oral** interaction

同様に、記述文の中にも多くの変更や修正が見られます。表2は、その一部を例示したものです。

表2　記述文の変更の例（太字は筆者らによる）

例1　【受容活動】〈Overall **oral** comprehension〉A1

CEFR	Can follow **speech** which is very slow and carefully articulated, with long pauses for him/her to assimilate meaning.
CEFR-CV	Can follow **language** which is very slow and carefully articulated, with long pauses for them to assimilate meaning.

例2　【受容活動】〈**Understand** audio (**or signed**) media and recordings〉C1

CEFR	Can understand a wide range of recorded and broadcast **audio material**, including some non-standard usage, and identify finer points of detail including implicit attitudes and relationships between **speakers**.
CEFR-CV	Can understand a wide range of recorded and broadcast **material**, including some non-standard usage, and identify finer points of detail including implicit attitudes and relationships between **people**.

例3　【産出活動】〈Overall **oral** production〉C2

CEFR	Can produce clear, smoothly flowing well-structured **speech** with an effective logical structure which helps the recipient to notice and remember significant points.
CEFR-CV	Can produce clear, smoothly flowing well-structured **discourse** with an effective logical structure which helps the recipient to notice and remember significant points.

例4　【相互行為活動】〈Interviewing and being interviewed〉A1

CEFR	Can reply in an interview to simple direct questions **spoken** very slowly and clearly in direct non-idiomatic **speech** about personal details.
CEFR-CV	Can reply in an interview to simple direct questions, **put** very slowly and clearly in direct, non-idiomatic **language** about personal details.

例えば、「listen」や「speak」といった動詞は、聴覚器官・発声器官を使った人間の身体的行動を表す単語であるため、聴覚器官・発声器官を用いない手話言語による言語活動は排除されることとなります。CEFR-CV

における単語や表現の変更は、すべての言語活動に「手話言語」による言語活動も包摂するための対応といえます。一方、文字を用いた言語活動である【読む理解】【筆記での産出】【筆記での相互行為】のスケール名や記述文には、表現の変更は見られません。その理由について、CEFR-CV には以下のような説明があります。

> 「oral」という用語は、ろう者のコミュニティでは一般的に手話を含むものとされている。しかし、手話は多くの場面において口語よりも文語に近いテキストを伝えることができるという認識が重要である。それゆえ、筆記での受容、筆記での産出、筆記での相互行為の記述文は、手話言語に対しても相応に使用するよう CEFR の利用者には求められる。こうした理由で、例示的記述文は「様式包括的（modality-inclusive）」な形で提供された。（CEFR-CV: 22）

つまり、手話言語にも「oral」という概念があることを受け、「listening」「spoken」といった表現は「oral」などの表現に修正されましたが、同時に、手話言語には書き言葉に近い表現が伝達できる特性があることを受け、文字を用いた言語活動に関しては特に修正は行われなかったということです。

②新たな【手話能力】のスケールの追加

手話言語には音声言語とは異なる言語的特性があります。手話言語の言語的特性として、「空間」「指差し」「顔の動き」などを用いた文法的表現や、固有名詞等を伝える際に補完的に用いられる「指文字」の活用などが、例として挙げられます。そこで、こうした特性を反映させるために CEFR-CV には【手話能力（Signing competences）】という能力が追加され、スケールが提示されました。

図 1 は【手話能力】の全体を表した樹形図です。三つのカテゴリーは、それぞれ【コミュニケーション言語能力】の各カテゴリーと同じ色で示さ

れています。

・言語的能力（Linguistic competence）：水色
・社会言語的能力（Sociolinguistic competence）：緑色
・言語運用能力（Pragmatic competence）：ピンク色

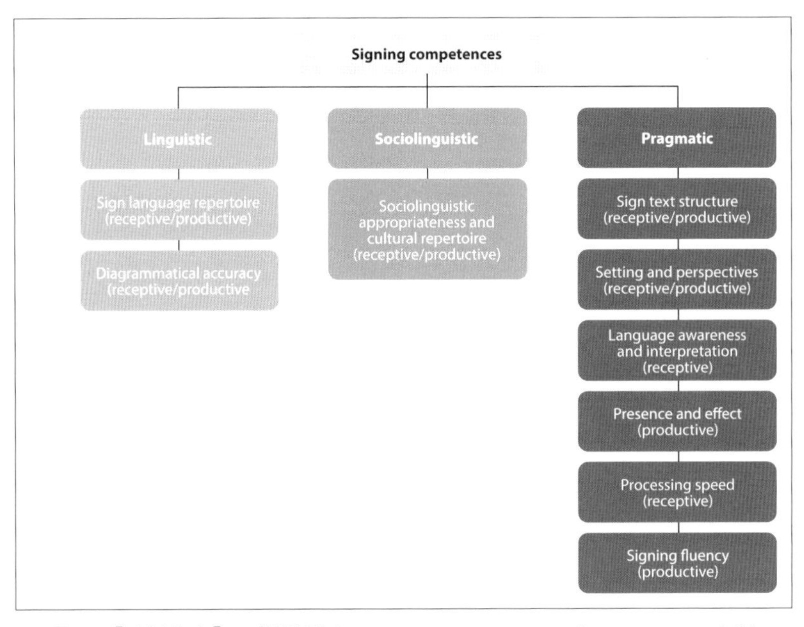

図1 【手話能力】の樹形図（CEFR-CV: 144, Figure 17 グレースケールに変換）

この図のように【手話能力】には、【言語的能力】【社会言語的能力】【言語運用能力】の三つのカテゴリーが示されています。この分類は、音声言語を対象とした【コミュニケーション言語能力】の枠組みと同じです。さらに、スケールは合計九つ提供されています。特筆すべきは、このうち五つのスケールは受容的能力（receptive competences）と産出的能力（productive competences）に分けて記述文が例示されていることです。なお、【手話能力】のスケールには、Pre-A1 レベルの記述文はありません。以下に、1)【言語的能力】、2)【社会言語的能力】、3)【言語運用能力】

のそれぞれについて、能力の内容を見ていきましょう。

1）【言語的能力】

このカテゴリーには、2種類のスケールが提示されています。

〈手話言語レパートリー（Sign language repertoire）〉
受容的能力・産出的能力
〈図式的な正確さ（Diagrammatical accuracy）〉
受容的能力・産出的能力

〈手話言語レパートリー〉のスケールは、手話の基本形だけでなく、レジスターや変種、目・頭・身体の動き、さまざまな手動と非手動の動きの組み合わせ、手話速度などに関する知識、ならびに慣用句や比喩・皮肉に関する概念的な知識などをキー・コンセプトとして作成されました。音声言語と同様に、手話を用いたテキストには、辞書的で固定化された表現だけでなく、その場で即興的に生産される要素も多く含まれます。そこで、手話言語の産出と受容では、手話の文法、さまざまな要素を組み合わせるための規則、空間配置の把握、様式美などをよく考えることが必要となります。

〈図式的な正確さ〉とは、構文表現、正確さ、精密さ、複雑さを表します。そのための産出と受容には、手動・非手動の要素が関連しており、その際に、構文の規則、手話空間の使い方、必要な身体表現、頭の動きなどの知識も含まれます。よって、このスケールは、手話空間、時間、指示詞の照応などの正確な理解と適切な表現、因果関係などの概念を表すための記号の正確な使用や順序、テキストタイプに合わせて手話のテキストを構造化することなどをキー・コンセプトとして、受容的能力と産出的能力それぞれに記述文が作成されています。

2)【社会言語的能力】

このカテゴリーには、1種類のスケールが提示されています。

〈社会言語的な適切さと文化レパートリー
(Sociolinguistic appropriateness and cultural repertoire)〉
受容的能力・産出的能力

〈社会言語的な適切さと文化レパートリー〉のスケールは、さまざまなレジスターの認識と表現、およびレジスターの切り替え、適切な挨拶や自己紹介、アイコンタクトの確立と維持、相手の注意を引きフィードバックを与える手段、対話者の社会的立場の認識、および自分の立場の表現などをキー・コンセプトとして、受容的能力と産出的能力それぞれに記述文が作成されています。

3)【言語運用能力】

【言語運用能力】については、音声言語の【言語運用能力】(CEFR-CV: 137-138)と同様、CEFR-CVでは以下のように説明しています。

> 対面または筆記による談話の文脈において、自ら意味を創出する能力や、言語行為(例. 間接的発話行為など)の意図をつかむ能力など、さまざまな手段(media)による談話能力、および暗示的な意味の処理と理解といった機能的能力を含んでいる。これらの能力は言語への気づき(メタ言語)とも関連する。 (CEFR-CV: 157)

この考え方に基づき、このカテゴリーには6種類のスケールが提示されています。

〈テキストの構造を表す(Sign text structure)〉
受容的能力・産出的能力

〈設定と視点（Setting and perspectives）〉

受容的能力・産出的能力

〈言語認識と解釈（Language awareness and interpretation）〉

受容的能力

〈存在と効果（Presence and effect）〉

産出的能力

〈処理の速さ（Processing speed）〉

受容的能力

〈手話の流暢さ（Signing fluency）〉

産出的能力

このうち〈テキストの構造を表す〉と〈設定と視点〉のスケールは受容的能力と産出的能力で用いられる能力として作成され、それぞれの記述文が示されています。一方、〈言語認識と解釈〉と〈処理の速さ〉のスケールは受容的能力で、〈存在と効果〉と〈手話の流暢さ〉のスケールは産出的能力で用いられる能力としてスケールが作成されています。以下に、それぞれの内容を見ていきましょう。

〈テキストの構造を表す〉は、音声言語の【コミュニケーション言語能力】で提示されている〈一貫性と結束性〉と〈話題の展開〉のスケールに相当します。テキストの論理的展開、物語文、説明文といったテキスト別の構成、テキストの主要部の認識、修辞的手法の使用などによって、一貫性と結束性のあるテキストを理解したり、そのテキストを伝えたりできることなどをキー・コンセプトとして記述文が作成されています。

〈設定と視点〉は、手話の重要な側面の一つである空間的な基準に関するスケールです。手話言語では、テキストを理解するのに必要な文脈を与えるために、体系的に手話空間の中に基準点を明確に配置して、その基準に一貫性を持たせる必要があります。そこで、このスケールは、新しい設定または場面や話題などの変化を認識したり設定したりできること、および身体の動きや視点などによって出来事や問題を異なる人々の異なる視点から理解して提示できることをキー・コンセプトとして、記述文が作成されています。

〈言語認識と解釈〉は、認識されたコミュニケーション行為やその機能を正しく解釈できる能力を表すスケールです。この能力により、受け手はテキストが持つ機能（納得させる、楽しませる、説得する、影響を与えるなど）を認識し、テキストを理解することができます。この能力には、手話者の存在や手話を識別するだけでなく、それ以外のさまざまな記号の理解や解釈も含まれます。このスケールでは、手話者の意図的な韻律記号と言語的（非言語的）な記号、意図的な行為と非意図的な行為、ポーズ、手の形、顔の表情、視線、口話などの能力、さらには、間、比喩、皮肉などの修辞的または構造的な機能を理解し解釈することができる能力をキー・コンセプトとしてスケールが作成されています。

〈存在と効果〉は、自分の存在と自分の手話が受け手に与える影響の大きさ（確信している、楽しんでいる、説得しているなどの発話的な効果）を表しています。この産出的能力には、手動と非手動の両方の要素を含む語彙や構文の知識と、それらを活用して受け手の目を引く洗練されたテキストを作り、自分自身が受け手にどのように映っているかを認識する能力が必要になります。このスケールは、伝え手の行動や外見、例えば、A1レベルでは手話ではない擬態によって感情を伝える能力、またレベルが上がるにつれ修辞的手法、ポーズや行為、外見などによって意識的に伝える能力、C2レベルでは洗練されたテキストで正確に伝えられる能力をキー・コンセプトとしてスケールが作成されています。

〈処理の速さ〉は、受け手が伝達された情報を理解する速度や程度に関するスケールです。手話言語への慣れやテキストの文法的な複雑さによって、受け手の理解に必要とされる認知的な容量は異なり、処理速度も変化します。したがって、このスケールは、テキストの長さや複雑さなどによって受け手の理解にかかる負担、伝え手の手話速度、規則性などを理解し自分の中で調整する能力、複雑な設定において登場人物の行動の流れを追う流暢な指文字の理解、不明瞭な手話であっても内容を理解する能力などをキー・コンセプトとしてスケールが作成されています。

〈手話の流暢さ〉は、音声言語の【コミュニケーション言語能力】で提示されている〈流暢さ〉に相当するものです。手話の速さや規則性、リズム、さらに間の取り方、構文の表現、指文字の使用などをキー・コンセプトとしてスケールが作成されています。

〈ユーザーからの声〉に応えて…

CEFR-CV で手話言語に関する更新が行われたことによって、CEFR が当初から目指していた多様な人々を包摂するインクルーシブな社会構築への思いが、より具体的な形になりました。音声言語だけでなく、手話言語もしっかりと包摂されるよう、スケールの名称や記述文の表現が修正されました。また、手話言語に適した【手話能力】というカテゴリーが追加されて、各種スケールと記述文も例示されました。さらに、CEFR の記述文を国際手話に翻訳する作業も進められており、動画による記述文の提供も始まっています。「手話にも CEFR の記述文は使えるか？」という問いに対し、「Yes」と明言できるようになったといえるでしょう。

第5章

「仲介」について更新されたこと

本章では CEFR-CV で大幅に更新された「仲介」を見ていきます。まず、「仲介」に関する CEFR の記述から「仲介」の更新の背景を探り、CEFR-CV における「仲介」の考え方、仲介活動、仲介の方略を整理します。その上で、仲介者の具体的な姿を描き出すことを試み、最後に CEFR-CV における「仲介」の概念を、その他の言語活動との関係および四つの種類の仲介から考えていきます。

1 CEFR（2001）における仲介

CEFR は、言語活動を、従来の話す、聞く、書く、読むという「4 技能」ではなく、産出、受容、相互行為、仲介という四つのカテゴリーで示し、「仲介」を独立した活動と見なしています。その上で、CEFR は以下のように仲介を、社会で課題達成を行う社会的行為者にとって最も大切な活動であるとしています。

> 仲介は我々の社会での通常の言語機能において重要な位置を占めている。 (CEFR: 14)

また、仲介活動は意志疎通ができない二者間を取り持つために、テキストを再構成する活動であるとし、以下のように説明しています。

> 仲介は、自分の意見を表現することではなく、直接、意思疎通ができない人々の間、（それだけではないが）通常は異なる言語の使用者間のコミュニケーションを可能にする仲介者として行動することである。仲介活動には、通訳、翻訳だけでなく、原文のテキストが理解できない読み手に対して、原文と同じ言語で要約したり、言い換えたりすることも含まれる。（CEFR: 87）

このように、2001年当時から、「仲介」は、人と人をつなぐ社会で重要な活動であると示されていたものの、カテゴリーもスケールも提示されておらず、説明も不十分でした。そのため、教室活動に仲介活動を取り入れようとする教師からは、「つまり授業で翻訳をするということなのか」「教室活動に仲介活動をどのように落とし込んでいけばよいのか」などといった疑問の声が多く上がっていました。こうしたCEFRユーザーからの声を取り上げながら、次節から、CEFR-CVが示す仲介について詳しく見ていきましょう。

2
CEFR-CV（2020）における仲介

〈CEFRユーザーからの声〉
- 仲介活動とは翻訳と通訳のことですか？
- 仲介にもレベルがありますか？

これらの声を受け、2014年から2016年にかけて仲介のスケールが開発されました。CEFR-CVの第3章の中に「3.4. 仲介」という節（2020: 90-122）が設けられ、スケールおよびキー・コンセプトも示されました。次の図1がその樹形図です。

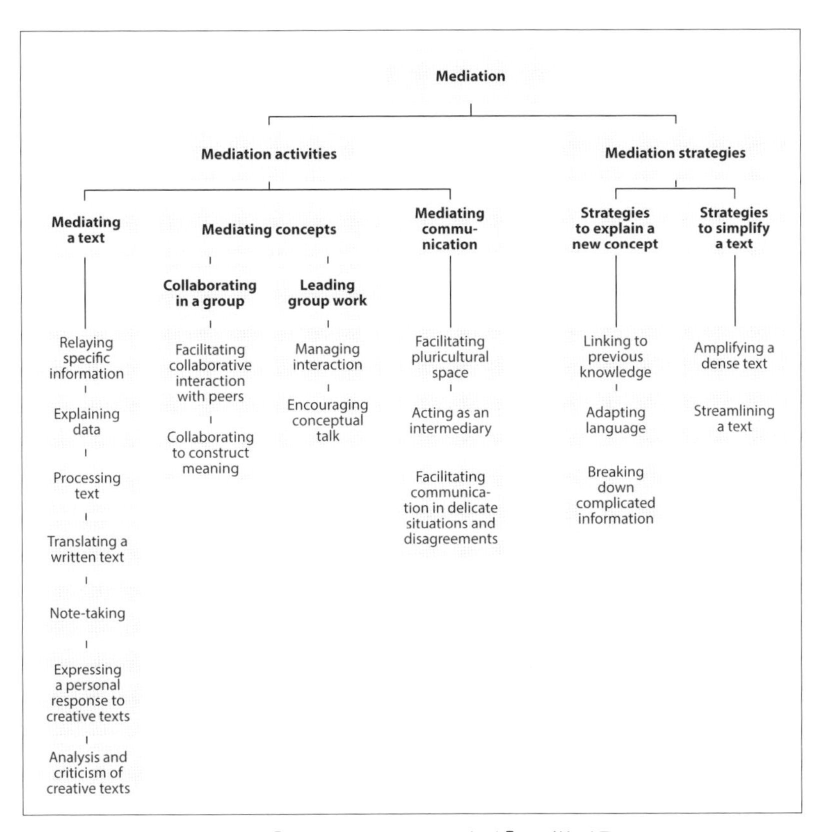

図１　【仲介活動・仲介の方略】の樹形図
（CEFR-CV: 90, Figure14 グレースケールに変換）

図１の上部から見ていきましょう。まず、【仲介活動（Mediation activities)】と【仲介の方略（Mediation strategies)】の二つに分かれています。さらに、【仲介活動】は、【テキストの仲介（Mediating a text)】【概念の仲介（Mediating concepts)】【コミュニケーションの仲介（Mediating communication)】の三つのカテゴリーに、【仲介の方略】は、【新しい概念を説明する方略（Strategies to explain a new concept)】と【テキストを簡略化する方略（Strategies to simplify a text)】の二つのカテゴリーに分類されています。それぞれのカテゴリーには、スケール群が示されています。

【テキストの仲介】のスケール群を見てみましょう。全部で七つのスケールが提示されています。この中で〈特定の情報を伝達する（Relaying specific information）〉および〈書かれたテキストを翻訳する（Translating a written text）〉がCEFRで言及された通訳・翻訳を含んでいますが、同時に、通訳・翻訳以外にも多くの仲介活動が取り上げられ、スケールが開発されています。このことから、CEFR-CVが考えている仲介活動は翻訳・通訳だけではないことが分かります。

さらに、この樹形図の中には示されていませんが、仲介全体を包み込む〈総括的な仲介（Overall mediation）〉（CEFR-CV: 91）というスケールも提示されています。このスケールは、仲介活動と仲介の方略を総括してA1～C2までの各レベルの特徴を示しているもので、仲介の全体的なレベルが提示されています。

〈ユーザーからの声〉に応えて…

新たに開発された「仲介」の各種カテゴリーとスケールから、翻訳と通訳だけではない多様で幅広い【仲介活動】があることがレベルとともに示されました。また、【仲介の方略】にも二つのカテゴリーが示され、レベルとともに四つのスケールが提示されました。

3 仲介活動

〈CEFRユーザーからの声〉

- 仲介活動には具体的にどんな活動がありますか？
- 仲介活動とは、二つ以上の言語を仲介する活動のことでしょうか？

CEFR-CVでは、具体的にどのような仲介活動を想定しているのでしょうか。【仲介活動】の三つのカテゴリーである【テキストの仲介】【概念の仲介】【コミュニケーションの仲介】のスケールの内容を確認してみましょう。

①【テキストの仲介】(CEFR-CV: 92-108)

一つ目のカテゴリー【テキストの仲介】には、何らかの障壁によって自らアクセスできない第三者にテキストの内容を伝達する活動、受容したテキストを編集する活動、あるテキストによって生じた自分の心的な動きを表現する活動などが含まれています。スケールは以下の7種類です。

〈特定の情報を伝達する(Relaying specific information)〉
〈データを説明する(Explaining data)〉
〈テキストを処理する(Processing text)〉
〈書かれたテキストを翻訳する(Translating a written text)〉
〈ノートテイキング(Note-taking)〉
〈創作テキストへの個人的な感想を表現する(Expressing a personal response to creative texts)〉
〈創作テキストの分析、批評(Analysis and criticism of creative texts)〉

これらのスケールから、【テキストの仲介】の活動の多様性を見てみましょう。

誰に仲介するか?

- 〈特定の情報を伝達する〉〈書かれたテキストを翻訳する〉では、「他者に対して」テキストの内容を仲介します。
- 〈ノートテイキング〉では、自分が後から分かるように、講義、セミナー、会議などの際に、「自分自身のために」その要点を書き取ります。また、〈創作テキストの分析、批評〉でも文芸作品に対する感想を表現したり、批評したり、テキストの内容を「自分自身に」仲介します。

何を仲介するか?

- 仲介活動では、音声言語、手話言語、筆記言語の情報を仲介します。CEFR-CVでは、一つのスケールの中に、音声/手話による記述文と、筆記による記述文が併記されています。例えば、〈特定の情報を伝達する〉(CEFR-CV: 94-95) のスケールでは、図2に太枠で示しているように、左側に音声言語と手話言語による伝達について、右側に書かれたテキストによる伝達についての記述文が例示されています。

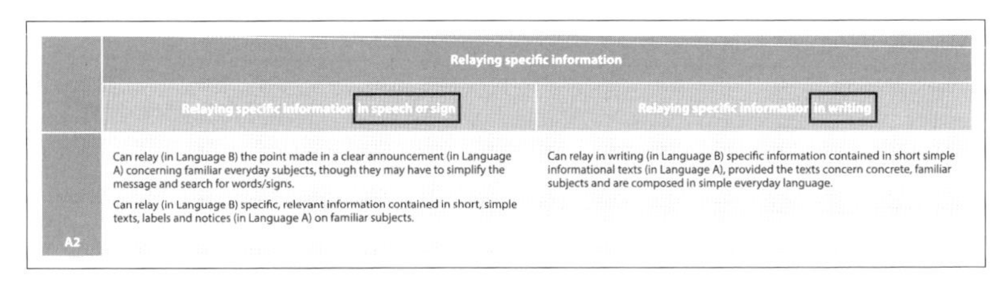

	Relaying specific information	
	Relaying specific information in speech or sign	Relaying specific information in writing
A2	Can relay (in Language B) the point made in a clear announcement (in Language A) concerning familiar everyday subjects, though they may have to simplify the message and search for words/signs. Can relay (in Language B) specific, relevant information contained in short, simple texts, labels and notices (in Language A) on familiar subjects.	Can relay in writing (in Language B) specific information contained in short simple informational texts (in Language A), provided the texts concern concrete, familiar subjects and are composed in simple everyday language.

図2 〈特定の情報を伝達する〉のスケールの一部
(CEFR-CV: 95 グレースケールに変換。太枠は筆者らによる)

音声言語と手話言語が併記されている理由については、次のように記されています。

> 手話言語は、意味、規則、制限といった特徴を持ち、音声言語と同様、言語の習得、生成、喪失、その他すべての心理的プロセスや言語固有の表現を含んでいる。(CEFR-CV: 252)

つまり、音声言語による活動にも、手話言語による活動にも、同様の構造や習得過程が見られ、仲介活動においてはどちらも同じ機能を果たす言語であるとCEFR-CVは説明しています。

・視覚情報を仲介します。
〈データを説明する〉(CEFF-CV: 96-97) のデータの例としては、グラフ、画像などが挙げられており、文字だけではない視覚情報の伝達も【テキストの仲介】に含まれていることが分かります。

どんな言葉を仲介するか?

・〈特定の情報を伝達する〉〈データを説明する〉〈テキストを処理する〉

〈書かれたテキストを翻訳する〉では、英語と日本語のように異なる言語を仲介するだけでなく、言語変種、位相、モダリティなど、さまざまな言葉が仲介の対象となると説明されています（例. 博多弁、若者言葉、敬語など）。また、例えば、書き言葉と話し言葉の間を仲介するような場合には、同じ一つの言葉の間で仲介が行われることもあると記されています（CEFR-CV: 93, 96, 98, 102）。

〈ユーザーからの声〉に応えて…
【テキストの仲介】には、伝達する対象者（第三者、自分自身）、伝達する内容（音声言語・手話言語・筆記言語、データ）、仲介で用いられる言葉が多岐にわたり、幅広い仲介活動が描かれています。

②【概念の仲介】（CEFR-CV: 108-113）

二つ目のカテゴリー【概念の仲介】を見てみましょう。このカテゴリーはさらに【グループ内で協働する（Collaborating in a group)】【グループ活動を導く（Leading group work)】の二つのカテゴリーに分類され、それぞれ以下のように説明されています。

【グループ内で協働する】
　自分がメンバーの一人として協働に参加する活動
【グループ活動を導く】
　自分は直接活動に参加せずに、ファシリテーター、教師、あるいはトレーナーとして協働活動が円滑に進むように気を配る活動

つまり、【概念の仲介】は、自分が協働活動の参加者か、先導者かという二つの視点からそれぞれのスケールが作成されています。各カテゴリーの下には、それぞれ二つずつスケールが提示されています。

【グループ内で協働する】

〈仲間との協働的な相互行為を促進する（Facilitating collaborative interaction with peers）〉

〈意味構築に向けて協働する（Collaborating to construct meaning）〉

【グループ活動を導く】

〈相互行為を管理する（Managing interaction）〉

〈概念的な話を奨励する（Encouraging conceptual talk）〉

各スケールの仲介活動の内容を整理すると以下のようになります。

〈仲間との協働的な相互行為を促進する〉

協働で作業をしている仲間が気後れせずに気持ちよく作業に参加できるように気を配り、進め方に同意できない仲間に発言を促したり、意見がより明確に理解されるように発言者に質問をしたりする活動

〈意味構築に向けて協働する〉

話し合いの場面で、ずれてしまった話題を元に戻したり、建設的な発言をして結論へとたどり着く努力をして、協働作業を調整する活動

〈相互行為を管理する〉

協働活動の場でファシリテーター、教師、あるいはトレーナーのような立場で参加者に平等に発言や参加の機会を与える活動

〈概念的な話を奨励する〉

参加者に発言の精緻化を促したり、複数の意見を取りまとめたりして、一貫性のある考察を奨励する活動

さらにCEFR-CVでは【概念の仲介】の背後にあるもう一つの視点、【関係性の仲介（Relational mediation）】と【認知的な仲介（Cognitive mediation）】というカテゴリーを提示しています。今まで見てきた【グ

ループ内で協働する】【グループ活動を導く】とどのような関係があるのでしょうか。図3を見てください。冒頭で示したタテの分類、つまり、参加者としての仲介活動【グループ内で協働する】と先導者としての仲介活動【グループ活動を導く】に、ヨコの分類、【関係性の仲介】と【認知的な仲介】がクロスしています。

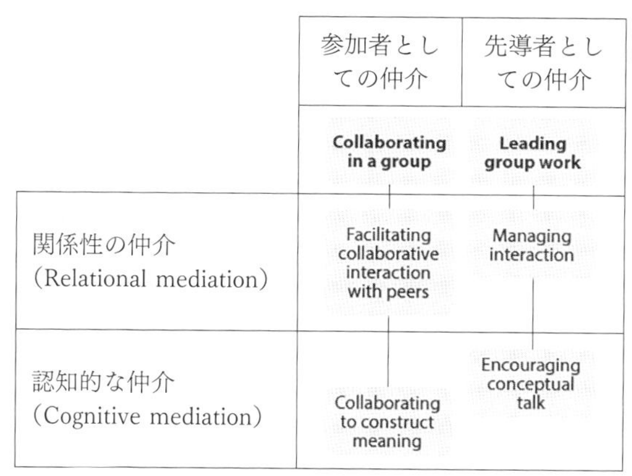

図3 【概念の仲介】の二つの側面
（CEFR-CV: 90, 108を参照して筆者らが作成）

ヨコの分類に基づいてスケールを整理すると以下のようになります。

【関係性の仲介】

【グループ内で協働する】（参加者）	〈仲間との協働的な相互行為を促進する〉
【グループ活動を導く】（先導者）	〈相互行為を管理する〉

【認知的な仲介】

【グループ内で協働する】（参加者）	〈意味構築に向けて協働する〉
【グループ活動を導く】（先導者）	〈概念的な話を奨励する〉

ヨコの分類の二つの仲介活動は以下のように説明されています。

【関係性の仲介】　協働活動が発展するための条件を設定して協働活動が行われる場を整える活動（参加者・先導者）

【認知的な仲介】　考えの発展を促し、参加者の認知的能力を高める活動（参加者・先導者）

【概念の仲介】のスケールを整理したところで、図3を見ながら、【概念の仲介】を教師の視点から考えてみましょう。先導者である教師は、学習者間あるいは教師と学習者間の良い関係の構築を念頭において授業を進めていくと思います。これが【関係性の仲介】に該当します。その際に行っている活動を具体的に例示したのが下のスケールです。

・【グループ内で協働する】〈仲間との協働的な相互行為を促進する〉
　学習者と一緒に協働活動や意見交換を行います。
・【グループ活動を導く】〈相互行為を管理する〉
　教師は活動中の学習者同士の円滑な協働活動を促進するために、全員が発言したり参加したりできるように配慮します。

また、教師は、授業を通して学習者の言語能力や思考力の向上を目指すことは言うまでもありません。これがもう一つの【認知的な仲介】です。その際に行っている活動を具体的に例示したのが下のスケールです。

・【グループ内で協働する】〈意味構築に向けて協働する〉
　学習者の話し合いが行き詰まったとき、それまでの話を全員が分かるように言い換えたり、話題を戻したりして、建設的な話し合いになるよう支援します。
・【グループ活動を導く】〈概念的な話を奨励する〉
　学習者が新しい知識や方略を学ぶ際に、足場架けをして学習者の学びを支援します。

Coste & Cavalli（2015）は、学校教育における仲介活動について研究しています。その中で他者性という考え方を用いて、学習とは他者性を学ぶことであると述べています。そして、教師の役割は、学習者と他者性の間に立ち、仲介することであると論じています。このことは、CEFR-CVの【概念の仲介】に該当すると筆者らは考えています。

〈ユーザーからの声〉に応えて…
【概念の仲介】には、教育関係者が協働的な学びの場で行う仲介活動が示されています。教師が自分の教育活動を考える際に役立つでしょう。

③【コミュニケーションの仲介】(CEFR-CV: 114-117)

三つ目のカテゴリー【コミュニケーションの仲介】には、以下の三つのスケールが提示されています。この部分は特に、「仲介は我々の社会での通常の言語機能において重要な位置を占めている」(CEFR: 14) というCEFRの考え方を具体的に表すスケールといえるでしょう。

〈複文化的な空間を促進する (Facilitating pluricultural space)〉
〈仲介者として行動する (Acting as an intermediary)〉
〈デリケートな状況、意見が一致していない場面でコミュニケーションを促進する (Facilitating communication in delicate situations and disagreements)〉

各スケールの仲介活動の内容を整理すると以下のようになります。

〈複文化的な空間を促進する〉
第三者の立場で、他者間のコミュニケーションを高めるために中立で信頼できる共有の「空間」を創る活動。すなわち、文化的な違いから生じるコミュニケーションの障壁を取り除き、障壁を乗り越えるために参加者間の理解を広げ、深めることを目指す活動。

〈仲介者として行動する〉

通訳・翻訳の専門家ではない個人が言語や文化を越えて公的、私的、職業的、教育的な非公式の場面で、自分の力の及ぶ限り仲介する活動。第三者として双方の間に立ち、それぞれの言い分を相手が理解できるように言い換える活動。

〈デリケートな状況、意見が一致していない場面でコミュニケーションを促進する〉

空気が張り詰めた場面で、慎重を期する話題について相互理解に達するために、対立する意見を双方が分かり合えるように仲介する活動。相互理解に達しない理由は、言語の問題だけではなく、話題の領域に馴染みがないためであったり、ある事柄に対する両者の見解の相違であったりする。その際、仲介者はどちらにも中立な立場で客観的にコミュニケーションできる場を創出する必要がある。

このように【コミュニケーションの仲介】の記述文は、特に異文化的な要素が関与する場面に多くの示唆を与えてくれます。

〈ユーザーからの声〉に応えて…

【コミュニケーションの仲介】には、言語や知識の伝達にとどまらず、複数の人々の間の文化的・社会的な考え方のギャップを踏まえ、より良い相互理解が実現するための仲介活動が示されています。

4 仲介の方略

〈CEFR ユーザーからの声〉

・「仲介」にも方略がありますか？

・「仲介」の方略にはどのようなものがありますか？

前節で説明したような仲介活動を円滑に進めるために、言語使用者／学習者には、複数の言語に長けているだけでなく、その場の参加者やコミュニケーションの場の慣習・条件・制約などを考慮に入れながら、適切な方略を用いる能力が求められます。【仲介の方略】には、仲介者として、複数の人の間、テキストの間、談話タイプの間、言語の間を往復しながら、その場の参加者に意味を明確に理解するよう促したり、参加者が理解できるように手助けするための方略が示されています。また、受け手が理解しやすくなるように原テキストを再形式化する方法（例. 精緻化、要約、言い換え、簡略化、比喩を用いた説明、視覚情報を用いた図式化など）が提示されています。

図４は、図１の樹形図から【仲介の方略】の部分を切り取ったものです。この樹形図を見ると、仲介の方略は、【新しい概念を説明する方略(Strategies to explain a new concept)】と【テキストを簡略化する方略(Strategies to simplify a text)】の二つのカテゴリーに分けられていることが分かります。それぞれ以下のように説明されています。

【新しい概念を説明する方略】

新たな概念と受け取り手の知識を結び付けたり、複雑な情報を箇条書きにしたりする方略

【テキストを簡略化する方略】

分かりにくいテキストを分かりやすく整え直す方略

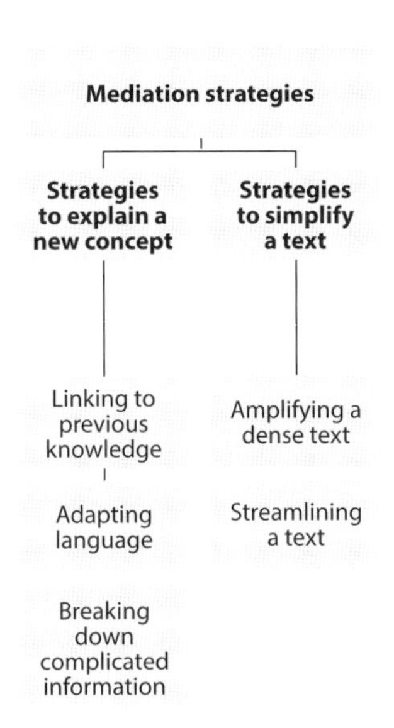

図４ 【仲介の方略】（CEFR-CV: 90, Figure14 一部グレースケールに変換）

各カテゴリーの下には、それぞれ次のスケールが提示されています。

【新しい概念を説明する方略】
〈先行知識と関連付ける（Linking to previous knowledge）〉
〈言語を適応させる（Adapting language）〉
〈複雑な情報を分けて示す（Breaking down complicated information）〉

【テキストを簡略化する方略】
〈濃い内容のテキストを詳説する（Amplifying a dense text）〉
〈テキストをスリム化する（Streamlining a text）〉

以上のようにCEFR-CVに示された方略は、話されたものであれ、書かれたものであれ、仲介されるテキストをどのように相手に伝えるかに焦点が当てられています。

〈ユーザーからの声〉に応えて…
仲介活動にも「方略」があり、スケールも開発されました。仲介者が、話し手／書き手の言語的、文化的、社会的背景を考えながら仲介者自身の理解を図ったり、聞き手／読み手の言語的、文化的、社会的背景を考えてテキストを作り替えるための方略が示されています。

5
仲介者の姿

〈CEFR ユーザーからの声〉
仲介活動が「社会で重要な位置を占める」とはどういう意味ですか？

ここまで見てきたスケールの内容から、翻訳、通訳を中心に語られていたCEFRの仲介活動が、CEFR-CVでは多彩に展開されていることが分かります。ここで、仲介に関するCEFR-CVの説明を見てみましょう。

> 仲介では、言語使用者／学習者は社会的行為者として、意味の構築や伝達のために橋渡しをしたり手助けを行う。それは、同じ言語内の場合もあれば、ある言語から別の言語への場合もある。仲介の中心的な関心は、コミュニケーションと学びの空間や環境を創出したり、新しい意味の構築に向けて協働したり、新しい意味の構築や理解を他者に促進したり、適切な形式で新しい情報を伝えたりというようなプロセスを促進させる言語の役割である。 (CEFR-CV: 90)

少し概念的に説明されているかもしれませんが、皆さんはこのテキストからどのような仲介者を思い浮かべますか。まず思い浮かべるのが、複数の人とともに目的に向かって活動している人の姿です。そこで使用されている言語は複数あり、この人は複数の言語を駆使しているかもしれません。さらに、その中の仲介者は一人かもしれませんし、その場に参加している全員が仲介者の役割を担っているかもしれません。

まず、仲介者が一人の場合は、参加者間で中立の立場を取り、コミュニケーション活動の黒衣のような役割を果たします。そこでの橋渡しの活動には、大きく分けて、以下の二つの役割があると考えられます。

・ある言語からある言語へ置き換えて仲介する役割
・聞き手の文化的背景、社会的状況を考慮して、価値観や考えなどを仲介する役割

その際に、参加者間で使用されている言語は、異なる言語の場合と同じ言語の場合があります。例えば、日本語を話している人と日本語以外の言語を話している人の間で言語の置き換えをしながら仲介する場合、または、日本語を話している人同士の意見を第三者として日本語で仲介する場合です。

一方、グループの参加者全員が仲介者である場合もあり、そこでは、すべての人にとってより良い解決を目指すという共通の目的を持った活動が展開されます。例えば、複数の言語や文化の中での協働作業が考えられます。こうした場面では、すべての人が、ある場合には中立の立場を取って仲介活動をし、ある場合には自分の意見を主張する立場となります。

このように、仲介者が一人の場合でも、グループの参加者全員が仲介者である場合でも、仲介者は、言葉を言い換えたり、翻訳したりするだけでなく、その場に参加している人の考え方や置かれている状況を考慮し、誤解のないように橋渡しをしているといえるでしょう。

それに加え、自分自身に対して新しい意味を仲介することや、自ら内省することも仲介活動には含まれます。自分が持っている考えに新たな考えを自分自身で加えることによって、新しい考えを構築していく活動となります。こうした仲介活動は、自分自身の柔軟な思考や内省力の向上にもつながっていくと思われます。

以上のように、仲介活動は、ある言語で示されたテキストを、異なる言

語あるいは同じ言語で、どのように簡略化、要点化して相手に伝えるか、および、受け取り手がどのような考え方、文化的な背景を持ち、どのような社会で生活しているのかを念頭に置いて行われます。さらに、自分自身が理解するためのテキスト処理も仲介活動であり、その際には、書き手がどのような考え方、文化的な背景を持ち、どのような社会で生活しているのかを考えながら理解し、新たな意味を構築していきます。

〈ユーザーからの声〉に応えて…

仲介というのは、異なる言語的、文化的、社会的背景を持つ人々がお互いに理解し合い、認め合うための活動であり、それを実現するための方略であるといえるでしょう。また、第三者として参加者間をつなぐだけでなく、自分自身が自分とは異なる背景を持つ人を受け入れ、理解することも仲介には含まれています。つまり、仲介とは、社会におけるさまざまな障壁を乗り越えながら、円滑な人間関係を構築していくために行われる言語活動であるといえます。また、自分が既に持っている知識や価値観を再認識したり、再確認したり、再構築したりする言語活動ともいえるでしょう。これが、仲介が「社会で重要な位置を占める」といわれる所以と思われます。

6 「仲介」の背景にある考え方

〈CEFR ユーザーからの声〉

CEFR-CV の「仲介」は、どのような考え方から生まれたのでしょうか？

CEFR-CV の仲介は、2014 年から 2016 年に行われた研究の成果から執筆されています（CEFR-CV: 14)。本節では、CEFR-CV および North &

Piccardo (2016) を参照し、仲介の背景にある考え方を見ていきましょう。

①言語活動における仲介活動の位置づけ

私たちが言語を使用する際には、常に、受容・産出・相互行為の活動が同時に関与し、これらの活動は仲介によって結び付けられています。図5は、受容、産出、相互行為、仲介のそれぞれの活動の関係性を示したものです。この図はどのような関係性を示しているのでしょうか。

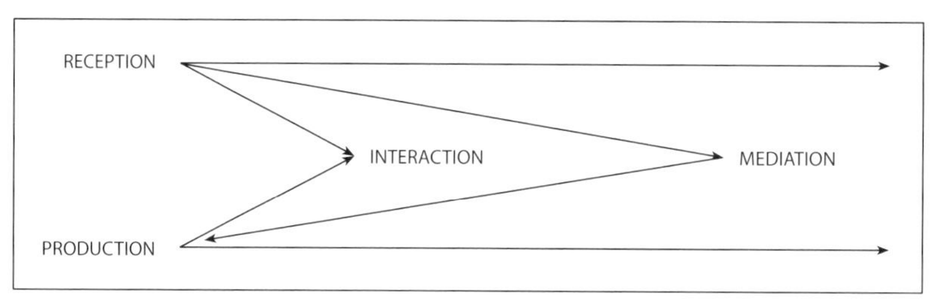

図5　受容、産出、相互行為、仲介間の関係性 (CEFR-CV: 34, Figure 2)

受容と産出が合わさると相互行為となります。ですが、相互行為は、受容と産出が単純に加算された活動ではなく、加算されたこと以上の新しい意味を聞き手と話し手、読み手と書き手がともに作り上げていく活動です。それは、新たな意味の協働構築という機能を持っています。一方、仲介は、コミュニケーションの参加者に新たな気づきをもたらし、社会的な視点と個人的な視点を継続的に結び付ける活動です。それによって、社会と個人の関係が強調され、相互行為の機能を超え、さまざまな人々の相互理解をさらに促進します (North & Piccardo, 2016)。

これを言語学習の文脈から捉えると、相互行為は、やりとりの活動を通して学習言語でコミュニケーションをしながら相互理解を深めるものであるのに対して、仲介は、学習言語の背後にある文化、社会を理解することを通して、学習者自身の複言語・複文化能力の育成へとつながるものであると考えられるでしょう。

この観点から、図5では、仲介は、相互行為で作られる新しい意味の協働構築を包含するものとして位置づけられています。

〈ユーザーからの声〉に応えて…
CEFR-CVでは「仲介」を言語活動と社会を結び付ける活動と考えています。受容と産出を通して行われる相互行為で構築された新しい意味を、参加者の背景にある言語的、文化的、社会的な側面も考慮しながら再構築する活動です。

②仲介の四つの種類

では、仲介はどのように社会と結び付いているのでしょうか。North & Piccardo（2016）は、「言語的仲介（Linguistic mediation）」「文化的仲介（Cultural mediation）」「社会的仲介（Social mediation）」「教育的仲介（Pedagogic mediation）」という四つの種類の仲介を示しています。筆者らは、この四つのうち、「言語的仲介」「文化的仲介」「社会的仲介」を人が社会で行う仲介の3段階と捉え、「教育的仲介」を教師やインストラクターがこの3段階の仲介を支援するために行う行為と捉えています。そこで、まず、仲介の3段階について整理し、次に、「教育的仲介」について示したいと思います。

1）仲介の3段階

第1段階「言語的仲介」

第1段階の「言語的仲介」は、テキスト（文字、音声の両方を含む）を介した活動で、翻訳や通訳に加え、テキストの編集や書き換えに代表されるような、テキストAをテキストBに変換する活動を指します。

「言語的仲介」ではテキストを直訳するだけではないさまざまな処理が行われます。ある言葉や表現の使用には文化的な要素も背景にあり、テキストをある文化から他の文化へ移すという行為も必然的に深く関わってきます。言い換えれば、テキストAに含まれる文化的な要素は言語の置き換えだけでは伝達しきれないということです。そこで、第2段階の「文化的仲介」の必要性が生じます。

第２段階 「文化的仲介」

第２段階の「文化的仲介」は、テキストＡを文化Ｂの中に移す活動です。「文化的仲介」では、テキストＡの言語の背後にある文化Ａの考え方や思いを受け取り、理解し、テキストＢの背景にある文化Ｂに落とし込みます。この行為には、テキストＡに表されている意味や考えや思いを、誤解を受けることがないように伝えるといった洗練された能力が求められます。この「文化的仲介」が行われる際に仲介者が行う深い洞察は、他者の尊厳に対する敬意に裏付けられており、そこには二つの異なる文化間の仲介だけでなく、ある文化に内在するさらに多様な文化間の仲介も付随します。例えば、若者や専門分野の文化などを仲介する活動も含まれます。

「文化的仲介」を滞りなく進めていくには、文化的理解を深め、正確に伝達するための社会的見識が、仲介者には求められます。言い換えれば、文化Ａ と文化Ｂの仲介には、その文化Ａと文化Ｂが存在する社会を知り、それぞれの社会の間を行き来する行為が必要となります。そこで、第３段階の「社会的仲介」の必要性が生じます。

第３段階 「社会的仲介」

「社会的仲介」は、「文化的仲介」での他者に対する理解と敬意を基盤として達成されます。この「社会的仲介」は、テキストＡに含まれる考え方や思いを中立的で公平な立場からテキストＢに伝えます。その伝達の際に、テキストＢが存在する社会Ｂの人々に正しく理解されるようにテキストを組み立て直したり、伝えようとしている意味を構成し直したりすることもあります。この行為は、テキストＡとテキストＢ、文化Ａと文化Ｂ、および社会Ａと社会Ｂの間の円滑なコミュニケーションを促すことにつながっていきます。

●「言語的仲介、文化的仲介、社会的仲介」の例

ベルギーにある日本の会社で働いている日本人の香奈さんは、ある朝、本社から来たメールを英語に翻訳していました。英訳をしていた香奈さんは、日本語のメールには挨拶や相手の気持ちを配慮する表現が多く、英文のメールと比べて冗長になってしまうため、メールの意向を的確に伝えるのに苦労しています。すると、隣に座っていたベルギー人のジュリさんが、香奈さんが英訳したテキストを並べ替え、要点をまとめて分かりやすく編集してくれました。

ジュリさんは、欧州の同僚と一緒に日本人顧客との会議に出席し、進行役兼通訳者の役割を果たすことがよくあります。通訳をするときは、日本人のうなずきが肯定を表すジェスチャーではなく相槌の機能も持つことや、欧州では会議は意見交換の場である一方、日本では根回しによって共有されている事柄の確認の場であることが多いことなどを考えながら、会議を進めています。このように柔軟に対応できるようになったのは、ジュリさんが仕事柄、さまざまな国の人とやりとりをしながら、戸惑い、悩み、理解し、受け入れるといった体験をする中で、文化や社会によって仕事の進め方や活動の目的が違うことを学んだからです。

ここまで述べてきた3段階の仲介は、私たちの実生活では、「言語的仲介」「文化的仲介」「社会的仲介」の順で一段階ずつ行われるのではなく、これら3種類の仲介が相互補完的に行われます。CEFR／CEFR-CVでは、個人の中に新たな気づきが生まれ、新たな視点が個人の中に内在化することで、その人の複言語・複文化能力に新たな要素が加わり、その結果その人の中に新しい考え方が作り上げられることも仲介と考えています。また、個人の内省や二者間・三者間の仲介を通して、コミュニケーション参加者の間で新たな意味が構築され、その新たな意味が参加者間で共有されることによって相互理解が深まるとも考えています。

〈ユーザーからの声〉に応えて…

CEFR-CVの「仲介」に含まれている多彩な仲介が開発された背景に

は、仲介の3段階（「言語的仲介」「文化的仲介」「社会的仲介」）という考え方があります。そして、これら3種類の仲介は相互補完的に行われ、仲介者自身の複言語・複文化能力を豊かにすることにもつながります。

2）第1〜3段階を支援する「教育的仲介」

「教育的仲介」は、教師やインストラクターや親などが行う仲介活動で、こうした人々がすべての学習者の学びを念頭に置いて協働的な学びを促進する活動です。North & Piccardo（2016）は、【関係性の仲介】と【認知的な仲介】（本章・第3節②、p. 97参照）という考えを示し、次のように説明しています。

【関係性の仲介】とは、学習者が心地よく協働活動が行えるように学びの場を整える場づくりで、学習者同士の対立を回避したり、課題の解決を促したりしながら進めていく仲介です。また、【認知的な仲介】は、教師などが足場かけを施しながら学習者との対話を通じて、教師やインストラクターの経験、知識、考え方を伝えたり、学習者に協働活動のやり方を伝える仲介です。協働活動のやり方には、人間関係と信頼関係を構築する方法、全員参加型の活動の方法、協働活動を持続させる方法、問題を事前に回避したり協働で問題の解決法を模索する方法などが含まれます。この「教育的仲介」の目的は、学習者が上述の1〜3段階の相互補完的な仲介を自然に行えるように支援することです。その際、教師は、学習者の様子を見ながらその状況に応じて3段階の仲介を行い、教育的仲介を実践します。

〈ユーザーからの声〉に応えて…

CEFR-CVでは、教育活動を仲介の一つと捉えています。「教育的仲介」は、教師やインストラクターなどが、学習者が3段階の仲介を相互補完的に行えるように、場を整え、考えを発展させるために行います。

第6章

CEFR-CV を参照した七つのアイデア

教育実践を行っていると、日々いろいろな疑問が湧いてきます。そんな疑問を解消するためのヒントがCEFRやCEFR-CVの中に見つけられるかもしれません。特にCEFR-CVではスケールが増えたので、これまでよりもさらに参照できる幅が広がりました。筆者らは、CEFR-CVで新しく更新されたスケールを教育実践にどのように参照できるかを考えてみました。本章では、筆者らが考えた七つのアイデアを、「実践の見直し」と「新たな知見の獲得」の二つに分けて紹介します。

1 CEFR-CV を参照した実践の見直し

アイデア①：ディスカッション活動における教師の支援を振り返る

〈実践での疑問〉

日本人大学生と海外で日本語を学んでいる大学生との異文化間交流のイベントを定期的に行っている。このイベントでは、社会的なテーマについてグループ・ディスカッションを行っているが、両者のコミュニケーションがぎこちないと感じることがよくある。自分は教師としてどのような支援を行ったらいいだろうか。

■ CEFR-CV を参照して行ったこと

教師がこのイベントのために行った教室活動を振り返り、学習者のどのような活動を支援していたか、あるいは支援していなかったかを検討しました。

教師が学習者の支援として「行っていた」こと

・学習者がグループ・ディスカッションのテーマ提供者として発表する原稿の作成と発表のための支援を行っていた。この支援は、以下のスケールに関連している。

【筆記での産出】〈報告書、随筆／小論〉
【概念の仲介】〈概念的な話を奨励する〉
【仲介の方略】〈言語を適応させる〉〈複雑な情報を分けて示す〉
【口頭での産出】〈持続的な独話：情報を提供する〉
【言語的能力】〈音韻の制御〉

・グループ・ディスカッションで話すための支援を行っていた。
【口頭での相互行為】〈非公式の話し合い〉

教師が学習者の支援として「行っていなかった」こと

・グループ・ディスカッションの場で背景の異なる学習者同士のコミュニケーションを円滑に行うための支援が不十分であった。この支援は、以下のスケールと対応している。

【概念の仲介：グループ内で協働する】〈意味構築に向けて協働する〉
【概念の仲介：グループ活動を導く】〈相互行為を管理する〉
【コミュニケーションの仲介】〈複文化的な空間を促進する〉〈非公式の場面で仲介者として行動する〉

■実践の見直し

実践を CEFR-CV と照合することで見えてきた支援を、以下のように教師の指導目標として加えることにしました。

・ディスカッションの目的は、語学学習だけではなく、互いの意見を知って自分の考えを更新したり広げたりすることも目的であると学習者に明示的に伝える。
・自分の意見を伝えるために、各学習者が複言語・複文化能力を用いてディスカッションに参加することを意識付ける。
・グループ内の話し合いを実りあるものにするために、全員が仲介者として互いに協力して意味を伝え合い、グループ全体で意見を作り上げることを意識付ける。
・そのために、必要に応じて、ディスカッションではどんな言語を使ってもいいし、参加者全員で通訳し合ったり、補足説明をしたりすることを伝える。
・終了後、ディスカッションに関するレポートを書き／発表をし、ディスカッションで得た新たな知識を自分自身で確認する時間を設ける。

このように、学習者の複言語・複文化能力を活用して協働活動を促進するよう、学習者に明示的に伝えて意識付けを行いました。この意識付けは、日本の大学側と海外の大学側の双方で行い、グループ・ディスカッションを実施しました。そして、双方の大学でディスカッション後にレポートを書く／発表をする活動を加えました。それによって、学習者たちは、ディスカッションで得た新しい知識を確認でき、多様な他者との意味の協働構築を実感できたのではないかと思われます。

アイデア②：文学精読のコースデザインを考える

〈実践での疑問〉

B2 レベル以上の学習者から日本語で文学を読み、理解したいという声が上がり、「自分の力で日本語の小説が読める」という目標を立てて授業を行った。授業では、短編小説をクラスで読み、読解後に学習者同士でその小説に対する個人の意見を述べ合った。しかし、それだけで目標が達成できるのかという疑問が残り、目標を再検討する必要性を感じた。

■ CEFR-CV を参照して行ったこと

【テキストの仲介】〈創作テキストへの個人的な感想を表現する〉と〈創作テキストの分析、批評〉の B2 レベルと C1 レベルのスケールを参照しました。

〈創作テキストへの個人的な感想を表現する〉

B2：作品に対する自分の感情的な反応を記述／描写することができ、（作品が）その反応を呼び起こした方法について詳しく説明することができる。 (CEFR-CV: 108)

C1：その作品のある特徴に対する自分の反応を概説したり、その意義／意味を説明したりしながら、作品に対する自分の個人的な解釈を詳細に説明することができる。 (CEFR-CV: 106)

これらの記述文には、このレベルの学習者が文学作品を読んだ後で自分の意見を述べる際に、主観的に述べるだけでなく、作品の特徴や意義、または自分の感情を呼び起こした方法にも言及できることが示されています。

〈創作テキストの分析、批評〉

B2：テーマ、構成、形式的な特徴への気づきを示したり、他人の意見や議論を参照したりしながら、作品について根拠のある意見を述べることができる。 (CEFR-CV: 108)

C1：さまざまな時代やジャンルの文芸作品を含む幅広い種類のテキストを批判的に評定できる。作品がそのジャンルの慣例を満たしている程度を評価できる。 (CEFR-CV: 107)

これらの記述文には、ジャンルに関する理解や根拠のある意見によって文学作品を分析したり批評したりできることが示されています。

■実践の見直し

これらのスケールを参照し、以下のように、この科目の目標、授業活動および評価方法を見直しました。

・目標

小説を読んで主観的に意見を述べるのではなく、文学を解釈するための方法を学んだ上で、より客観的で根拠のある解釈ができることを目指し、目標を「自分の力で日本語の小説が読める」から、「文学作品を自分で理解し、文学を評論するアプローチの方法を用いて文学作品が解釈できる」に変更しました。

・授業活動

授業では、教師が二つの文学作品を取り上げ、２種類の方法で作品を解釈する活動を行いました。一つは、作家の生い立ちや家族などの背景をもとに作品を解釈する方法で、もう一つは、読み手が詳細に読み込み、その理解から作品を解釈するという方法です。授業では、作品を読みながら感じた疑問をクラスで共有し、その疑問を解明するためにこの２種類の解釈方法を用いました。解釈には、必ず、解釈方法に基づく客観的な根拠を示すように声かけをしました。疑問の解明は、まずグループで行い、その後、各グループの解釈をクラス全体で共有しながら、みんなで自由に発言し合う形式で進めていきました。

・評価方法

学習者が「文学作品を自分で理解し、文学を評論するアプローチの方法を用いて文学作品が解釈できる」ようになったかを評価するために以下の流れで評価を実施しました。学習者は、各自、日本語で書かれた短編小説、詩、俳句、小説の一部などを、事前に一つ選び、自分が感じた疑問を、授業で学んだ解釈方法を用いて解釈し、疑問を解明します。実際の試験では、学習者は自分で作成したスライドを用いながら、テキストの紹介および疑問と解釈を、根拠と合わせて口頭で発表しました。

アイデア③：音声指導を考える

〈実践での疑問〉
　スピーチコンテストの練習をしている学習者がいるが、発音はとてもきれいなのに、全体的に単調で、大切なメッセージが聴衆にうまく伝わりそうにない。この学習者にどのような指導をすれば、もっとメッセージが伝わりやすいスピーチになるのだろうか。

■ CEFR-CV を参照して行ったこと

　単調で伝わりにくい話し方の改善に向けてどうすればよいかを考えるために、〈音韻の制御〉に新たに追加された「プロソディー（韻律）」に関するキー・コンセプトを参照し、以下の 2 点が大切であることを確認しました。

▶強調、イントネーション、リズムのコントロール
▶特定のメッセージを強調するために強調やイントネーションを活用したり変化させたりする能力

（CEFR-CV: 133）

■実践の見直し

　これらのキー・コンセプトを参考にして、学習者のプロソディーに対する意識が少しずつ高まっていくよう、以下のような声かけを試みることにしました。

・学習者が、強調やイントネーションに対する意識をどのくらい持っているかを確認。

・学習者に自分の発話を録音してもらい、強調やイントネーションのコントロールが上手なスピーチと聞き比べてみるよう推奨。
・スピーチの中で自分が伝えたい大切なメッセージを選定し、どこを強調し、どのようなイントネーションが適切かを考えるよう促進。

それとともに、学習者自身が自分の変化に気づけるよう、〈音韻の制御〉のスケールのレベルチェックを奨励しました。このスケールには、〈音の正確さ〉と〈韻律的な特徴〉という二つの下位スケールが提供されていますので、「発音」は明瞭だけれども、「プロソディー」については不十分な点があるという自分自身の発話への気づきも促されるのではないかと思われます。

2
CEFR-CV を参照して得られた新たな知見

アイデア④：仲介の授業活動を考える

〈実践での疑問〉
仲介活動を取り入れた授業を行いたいが、学習者のレベルに適した授業活動の考え方がよく分からない。

■ CEFR-CV を参照して行ったこと

この疑問を抱いていた筆者らは、CEFR-CV の【仲介活動】【仲介の方略】の記述文（CEFR-CV: 90-122）を形態素解析の手法を用いて分析し、各レベルの仲介者像の特徴を整理しました（櫻井・奥村, 2021）。

■分析から得た知見

分析の結果、以下のような各 A1〜C2 レベルの仲介者像が浮かび上がりました。

対象＝何を仲介できるか
活動＝どのような仲介活動を、どのようにできるか
条件＝仲介するときにどんな助けが必要か

A1 レベルの仲介者像

対象：予測可能なとても単純で短く直接的な情報、または非言語的なサイン（例．ポスター、注意書き、標識、プログラム等）を仲介できる。

活動：理解した情報を直接指し示したり見せたりしながら、単独の語や句を用いてゆっくり仲介を行うことができる。

条件：常に適切な語を選ぶことはできず、辞書等の助けが必要となる。

A2 レベルの仲介者像

対象：限られた範囲の日常的かつ身近で基本的な内容が単純に書かれた話題、情報、指示、メッセージを仲介できる。

活動：
・テキストの要点をざっくりと、ときには行きつ戻りつしながら、簡単な文を用いて仲介できる。
・自分の提案や賛意を表現したり、他者の考えを尋ねたりすることもできる。
・鍵となる主な点についてのメモを作ることができる。

条件：明瞭なテキストが、明瞭に提供される必要がある。

B1 レベルの仲介者像

対象：個人的な事柄または自分が関心を持っている話題の情報的なテキストを仲介できる。

活動：
・語彙的な制限はあるものの、相手にさまざまな質問をしながら直線的な表現で仲介することができる。
・仲介内容を描写したり簡単に要約したりしながら伝達することができる。

条件：・事前に準備が必要な場合もある。
　　　・テキストが標準的かつ十分精確に提供される必要がある。

B2 レベルの仲介者像

対象：自分の職業的／学術的な分野の複雑な話題に関するグループでの話し合いや作業を仲介できる。

活動：・さまざまな相手に関連する内容や重要な点を説明することができる。
　　　・内容をさらに発展させながら、より分かりやすく、より長く、確実に仲介できる。
　　　・命題的に脱線したり行き詰まったりした話し合いを前へ進めることができる。
　　　・協働的に他の人々に発話を促したり、他の意見を比べたりしながら（再）構成できる。

条件：なし。

C1 レベルの仲介者像

対象：評価的なコメントを含む専門的で抽象的なオリジナル／生の素材や、聴衆のいる場面での議論を仲介できる。

活動：・時折事実確認をするが、流暢に如才なく仲介できる。
　　　・仲介内容を自ら解釈したり、自分の意見や有用な情報を補足したりしながら、仲介内容を自ら構築することもできる。

条件：なし。

C2 レベルの仲介者像

対象：幅広く多様な媒体、素材、話題を仲介できる。

活動：・背後にある社会文化的な含意、ニュアンス、皮肉、あてこすり、底意も考慮しながら、流暢な仲介をすることができる。
　　　・内容が概念的に複雑なものであっても、状況に応じて、効果的かつ自然に、自信を持って、精確に、上手く精緻化して提示することができる。

・その場に適したさまざまな役割を担いながら、話し合いや議論を先導することもできる。

条件：なし。

これらの仲介者像を参考に、例えばB1レベルであれば、次のような場面を設定して、仲介活動の授業を行うことができるのではないかと考えました。

● B1 レベルの仲介活動の例

欧州のある駅で電車が大幅に遅延して困っている日本人観光客がいた。そこで、駅のアナウンスの内容を日本語でその日本人に伝える。また、その日本人がどこに行きたいのかを聞いて、駅員にも尋ねながら、路線図を使って行き方を伝える。

このようにCEFR-CVのスケールを参照することで、学習者に適した仲介活動が具体的になり、現実的な場面を設定した授業活動が考えやすくなると思われます。

アイデア⑤：授業活動をさまざまな視点から複合的に観察する

〈実践での疑問〉

「読解」「作文」「会話」のように、「仲介」という科目の授業をしたほうがいいのだろうか。そもそも「読解」の授業であっても、学習者は、受容の活動に限らず、産出や相互行為の活動も行っている。では、読解の授業中に学習者は、実際はどのような活動を行っているのだろうか。

■ CEFR-CV を参照して行ったこと

実際に行った授業の中から以下の一つを選んで、その授業で学習者がどのような活動をしていたのかを分析しました。

分析対象とした授業の流れ

1. 学習者をグループAとグループBに分け、グループごとに内容の異なるテキストを配布。
2. 各自、配布されたテキストの読解。
3. 同じグループのメンバーとテキストの内容を理解。
4. 同じグループのメンバーとテキストの内容を要約。
5. グループAの代表者がグループBに対して、自分たちが要約したテキストを紹介。
6. 5を聞いたグループBのメンバーからの質問に、グループAの代表者が回答。
   代表者の回答が不十分だったり、誤ったりしている場合は、他のグループメンバーが助力する。
7. グループAとグループBを交替して、5と6を行う。

授業で学習者が行った各種活動とその組み合わせ

- 2では、【読む理解】という受容の活動を行っている。
- 3では、【口頭での産出】という産出の活動と【口頭での理解】という受容の活動、および【口頭での相互行為】という相互行為の活動を行っている。
- 4では、〈テキストを処理する〉（要約する）という【テキストの仲介】と、【口頭での相互行為】という相互行為の活動を行っている。
- 5では、代表者は【口頭での産出】という産出の活動を、それ以外の学習者は【口頭での理解】という受容の活動を行っている。
- 6では、質問者と回答者の間で【口頭での相互行為】という相互行為の活動を行っている。また、他のグループメンバーによる助力では、【テキストの仲介】【概念の仲介】【コミュニケーションの仲介】という3種類の仲介を総合的に行っている。

■分析から得た知見

上記の「授業で学習者が行った各種活動とその組み合わせ」では、活動4と6のみで仲介に言及しましたが、実際の授業では、いずれの活動にも仲介が関与していました。例えば、2の【読む理解】の活動では〈創作テキストへの個人的な感想を表現する〉という仲介の活動も同時に行っていることが推測されますし、3の【口頭での理解】の活動では〈ノートテイキング〉という活動を行っている学習者も観察できました。さらに、3と4のグループワークでは、場をリードしたり、困っているメンバーの理解を促進したり、互いの意見のズレを調整したりするために、必然的に【概念の仲介】と【コミュニケーションの仲介】が行われている様子もうかがえました。

このように、CEFR-CVのスケールを参照して一つの授業を振り返ってみたことで、私たちが日ごろ行っている授業活動では実にさまざまな言語活動が複合的に行われていることに気づかされました。この分析によって、私たち人間は、受容・産出・相互行為・仲介といった活動を一つ一つ区別して言語活動を行っているのではなく、多くの場合、複数の種類の活動を同時に行っていて、仲介活動は、受容・産出・相互行為の活動を結び付ける機能があるといわれていることが確認できました。

アイデア⑥：オンライン授業での協働活動を考える

〈実践での疑問〉

オンライン授業でも、学習者同士の協働活動を多く取り入れたいと考えている。オンラインの授業は、対面での授業とは異なるといわれているが、教師としてどのような点を考慮したらいいのだろうか。

■ CEFR-CVを参照して行ったこと

CEFR-CVで追加された【オンラインでの相互行為】のキー・コンセプトと二つのスケールを参照して、「学習者の活動内容」「学習者の協働のし方」「教師の支援のし方」「対面とオンラインで達成できる課題の違い」の

4点について、オンライン授業の活動を考えるためのヒントを探しました。

学習者の活動内容を考える（何ができるか？）

学習者のレベルに適した活動を考えるために、〈オンラインでの会話、話し合い〉のキー・コンセプトとスケールを参照し、各レベルの特徴を確認しました（CEFR-CV: 84-86）。

・B1レベル以下：

A1レベルでは、オンラインの集まりにおいて、翻訳ツールを使いながらごく表面的にのみ投稿やチャットをすることができる。A2レベル・B1レベルでは、考える時間があって、教師が丁寧に導けば、バーチャル教室で質問したり答えたり、他者の発言に簡単にコメントしたりできる。

・B1＋レベル以上：

B1＋レベルでは複数の参加者とリアルタイムの交流に参加できる。また、イベントや体験についての記事が投稿できる。B2レベルでは、ディスカッションに積極的に参加でき、誤解や行き違いにも対応できる。C1レベル以上では、場に応じて自分の言葉遣いを変えたり、自分の立ち位置を調整したりできる。

学習者の協働のし方を考える（どのようにできるか？）

〈目標志向のオンラインでの取引、協働〉のキー・コンセプトとスケールを参照し、グループワークへの参加のし方の特徴を検討しました（CEFR-CV: 86-87）。

A2＋レベル　協力的な相手と簡単な協働タスクに参加できる。
B1レベル　小さなプロジェクトワークに参加できる。
B2＋レベル　共同作業においてリーダー的な役割を担うことができる。
C1レベル　細かい作業手順の策定ができ、タスク達成に向けた説明ができる。参加者の提案を評価しながら、グループ内の調整ができる。

教師の支援のし方を考える

【オンラインでの相互行為】の二つのスケールのC2レベルの記述文を参照し、教師が行う支援について考えました。

〈オンラインでの会話、話し合い〉

C2：オンラインディスカッションにおいて起こりうる（文化的なものを含む）誤解、コミュニケーション上の問題、感情的な反応を予測し、効果的に対処することができる。 (CEFR-CV: 85)

〈目標志向のオンラインでの取引、協働〉

C2：協働の過程で起こる誤解を解消し、摩擦や軋轢に効果的に対処することができる。協働作業の再検討やまとめの段階で、グループワークに導きを与え、精度を高めることができる。(CEFR-CV: 86)

対面とオンラインで達成できる課題の違い

本書の第3章でも記した通り、「オンラインコミュニケーションは常に機器を介して行われるため、対面でのやりとりと全く同じようにはいかない」(CEFR-CV: 84) ことにより、例えば「対面コミュニケーションでは比較的対応が容易な「誤解の解消」がオンラインではなかなか難しい」といった問題もあります。例えば、協働活動に関するスケールの記述文を見比べてみると、両者の間にはレベルの差が見られます。

【口頭での相互行為】

〈目標志向の共同作業〉B1：

可能な解決法や次にすべきことについて、簡単な理由や説明をしながら、自分の意見や反応を理解させることができる。作業の進め方について他者に意見を促すこともできる。 (CEFR-CV: 77)

【オンラインでの相互行為】
〈目標志向のオンラインでの取引、協働〉B1：
オンラインで共有された課題を達成するために、指示に応じたり、質問をしたり、説明を求めたりすることができる。　(CEFR-CV: 87)

このように、同じB1レベルでも、対面だと、自分の意見を説明したり他者に発言を促したりできるのに対し、オンラインだと、他者からの説明や指示に対応するにとどまっており、自分の意見を説明したり他者を助力したりできるのはB2レベル以上であることが示されています。

■分析から得た知見

オンライン授業の準備では、【オンラインでの相互行為】のキー・コンセプトやスケールを参照しながら、学習者のレベルに合った活動を考える必要があることが分かりました。もし、オンラインでの協働活動がぎこちなく、活発化しないのだとすれば、それはグループで取り組んでいる課題が、学習者のレベルに合っていないのかもしれません。どのようなメンバーで活動を行うのか、どのくらいの難易度や規模の活動を行うのか、一人ひとりが担うべき役割はどのようなものかなど、学習者の適性なども考慮しながら検討する必要がありそうです。そうすることで、オンラインでの協働活動もスムーズになるのではないかと思われます。

また、教師の支援に目を向けると、「仲介」の【概念の仲介】や【コミュニケーションの仲介】とも密接につながっており、オンライン授業のような遠隔コミュニケーションの場でも、「仲介」のスケールが参照できると考えられます。

アイデア⑦：社会言語的な視点から語彙の運用と翻訳アプリの使用について考える

〈実践での疑問〉

例えばオランダ語やドイツ語を母語とする学習者が多い教室では、

誰かがくしゃみをすると、その相手に向かって「Gezondheid!」「Gesundheit!」と母語・母文化の習慣から自動的に言葉を発する学習者が多い。そんなとき、スマートフォンなどの翻訳アプリで検索した語を使って「健康！」「元気！」と声をかけ、満足そうにうなずいている学習者も少なくない。しかし、日本語のコミュニケーションでは、ある人のくしゃみに対して周りの人は特定のことばで対応しないのが一般的であろう。ところが、教師がそのことを説明しても、「翻訳アプリに出ています！」と教師の説明に納得しない学習者もいる。

母語以外の語彙を学ぶ上では、母語との対訳を学ぶだけでなく、その言語が使われる文脈でどのようにその語彙を使用するかを学ぶことも大切であろう。近年、翻訳アプリを用いながら外国語コミュニケーションや外国語学習を日常的に行っている学習者が増えている中、社会言語的な視点を念頭に置いて語彙や表現を学ぶ必要性がより高まってきたと感じる。翻訳アプリをめぐるこうした課題は私たちがことばを学び続ける限り起こりうるものといえよう。では、学習者に対して、社会言語的な視点を持ちながら語彙学習を進めることの大切さへの気づきを促すためには、どのような活動や指導をしたらよいだろうか。

■ CEFR-CV を参照して得た知見

CEFR-CV では、仲介を言語的仲介、文化的仲介、社会的仲介、教育的仲介と四つに分けて考えています（本書第５章６②参照）。

North & Piccardo（2016）では、その中の一つ「社会的仲介」について、テキストＡをテキストＢへと言語的に転換するだけではなく、社会言語的な点にも気を配り、テキストＡが伝えようとする内容や機能を、社会Ｂの文脈に置き換えながら、テキストＢを創出することが大切だと述べています。この点は、外国語の語彙・表現の学習では、母語との対訳を学ぶだけでなく、その言語が使われる文脈でどのように語彙や表現を使用するかを知ることの大切さを指摘しているといえます。例えば上述のくしゃみの例のように、特に、自分の母語と社会言語的な慣習の共通点が比較的多い言語のみを、これまで外国語／第二言語として学んできた学習者（例．フランス語母語話者がスペイン語を学ぶケース等）にとっては、自分の母語と社会言語的慣習が大きく異なる言語を学ぶこと（例．フランス語母語話者が日本語を学ぶケース等）は新たな気づきを得る大切な機会となるでしょう。

学習者がこの社会言語的な慣習を学ぶための教室活動について、North & Piccardo（2016）は、「教育的仲介」の説明でアフォーダンスの概念を用いて、次のような提案をしています。アフォーダンスは、心理学者のギブソン（Gibson, 1966）の造語で「環境が生物の活動に影響を与える意味」とされています。まず、ことばを説明して知識として与え、次にその知識を運用する会話練習をするのではなく、何よりもまず、学習者をアフォーダンスにさらすことから始める必要があるということです。そうすることによって、アフォーダンスが仲介する意味を学習者自身が理解し、その結果、学習者はあることばの言語的な意味と文脈における機能を自分自身の力でつかみ取ることができます。このNorth & Piccardo（2016）の提案は、言い換えれば、学習者に社会言語的な気づきを促すためには、学習者を状況や文脈にさらすための学びの場をデザインすることが、教師の役割であることを示唆しています。

■新たな授業デザインの可能性

そこで、学習者がある事柄を伝えたくなる／伝えなければならなくなる場面にさらすことができるよう、そこで用いる日本語が翻訳アプリの翻訳だけではなかなか対応しづらいような文脈を作り出し、学習者とともに考えていける授業をデザインすることにしました。初級学習者にも取り組みやすく、かつ、場面依存度の高い表現として、挨拶言葉と呼びかけ表現などを取り上げ、次のような授業デザインの可能性を探りました。

学習目標の設定

語彙学習は翻訳アプリだけでは十分に対応できないこと、また、社会言語的な視点も合わせてことばを学んでいく大切さに気づき、ある場面での適切な日本語表現について話し合いながら考えることができる。

場面の設定

教師が実際に体験したことのある文脈依存度の高い表現から、挨拶言葉と呼びかけ表現を選び、次の四つの場面をみんなで考えるための素材とする。

〔場面 1〕
授業で先生がくしゃみをしたら、学生に「元気！」「健康！」と言われ、びっくりしました。

〔場面 2〕
午前中の授業が終わり、昼食をとるために教室から学生たちが出ていきます。ある学生に「いただきます！」と声をかけられて先生はびっくりしてしまいました。

〔場面 3〕
日本で暮らしている留学生がスーパーのレジで「こんにちは！」と言ったら、レジの女性にびっくりされてしまいました。

〔場面 4〕
日本で暮らしている留学生が手袋を落とした男性を見かけました。留学生は急いで手袋を拾い、遠ざかっていく男性に声をかけようとしましたが、「ん？　何と言って声をかければいいんだろう？　ミスター？　ムッシュー？」と悩んでいるうちに、男性はどんどん歩いて行ってしまいました。

授業活動の試案

ここでは筆者らが実践してみたいと思う授業活動について、いくつか例を挙げてみます。

● 〔場面 1〕と〔場面 2〕を使った例：

①〔場面 1〕をクラスで提示して、どうして教師がびっくりしたかを考える。

- 誰かがくしゃみをしたとき、あなたはどうするか？
- 翻訳アプリでは、「Gezondheid!」「Gesundheit!」はどのように訳されるか？
- 「元気！」「健康！」と言った学生は何と言いたかったのか。
- 日本語の場面ではどうするか、身近な日本人に聞いてみる。（対面、SNS 等で）

②〔場面 2〕を示し、どうして先生がびっくりしたかをグループで考える。言葉の意味の違いや、自分なら何と言うか／どうするかを考える。

③翻訳アプリの使い方や語彙学習について、みんなで話し合う。

● 〔場面 3〕を使った例：

①〔場面 3〕のマンガを作成して、授業で提示する。

- 〔場面 3〕について、翻訳アプリの訳語を確認する。
- どうしてレジの人がびっくりしたかを考え、話し合う。
- 日本語の「こんにちは」の特徴を調べ、考える。

②ことばを学ぶときの注意点について話し合う。

● 〔場面 4〕を使った例：

①グループに分かれて、何と声をかけるか考えてもらう。翻訳アプリや配信動画など、何を参考にしてもよい。

②グループごとにスキットを作り、発表してもらう。

③身近な日本人に何と言うか質問し、その結果を報告する。

④挨拶言葉について、どのように学んだらいいか話し合う。

● 〔場面 1〜4〕を使った例：

①〔場面 1〜4〕の 4 コマ漫画／紙芝居／ショートストーリー動画を作成する。

・一つは、自分の文化圏でのやりとり場面。(母語等を使ってもよい)
・もう一つは、日本語文化圏でのやりとり場面。
・クラスで発表し、より良いコミュニケーションだと思うものについて、その理由と合わせて投票などを行ってもよいかもしれない。
②自分の文化圏でのやりとり場面と日本語文化圏でのやりとり場面で何をどのように変えたか、なぜ変えたかなどについて、意見交換をする。

学習者の新たな気づきを引き出すことは、一朝一夕では成し得ないことです。ここで挙げた活動は、一つだけを取り上げて1回だけ行うのではなく、授業の要所要所に組み入れると良いでしょう。通常の授業の中で社会言語的な考え方や翻訳アプリの使い方、翻訳の仕方などを考える機会をつくり、みんなで繰り返し話し合っていくことが大切なのではないかと思います。

〈CEFR-CV を参照してみて…〉

本章では、筆者らが実践で感じた疑問のヒントを得るためにCEFR-CV を参照した七つの事例をアイデア①～⑦にまとめました。

このCEFR-CV を「参照する」活動を通して、「参照する」とは、「目的」を達成したい、「疑問」の答えを見つけたいという思いを実現するための主体的の活動なのだと再認識しました。CEFR はマニュアルではなく、常に変化する学習者たちの伴走者として「考える教師」が実践で壁にぶつかったときの参考書なのだな…と改めて確認することができました。

補足になりますが、ここで示した筆者らのアイデアは、本書第1章で整理したCEFR およびCEFR-CV の底流にある複言語・複文化主義の考え方に基づいています。この点は、本章では明示的に説明していませんが、筆者らが実践をする上で常に留意していることです。

CEFR-CV スケールリスト

＊このリストは CEFR-CV に含まれているすべてのスケールのリストです。CEFR-CV と参照しやすいように、CEFR-CV の各樹形図と同じ配列、配置で作成しました。

＊**太字**は、CEFR-CV で更新（名称の修正や追加等）が行われたカテゴリーとスケールです。

白枠は、Pre-A1～C2 の記述文が例示されている各種スケールの名称です。

1.【コミュニケーション言語活動・方略】(CEFR-CV, Chapter 3: 47-122)

Reception 受容 (CEFR-CV: 47-60)			
Reception activities 受容活動			Reception strategies 受容の方略
Oral comprehension 口頭での理解	Audio-visual comprehension 視聴覚での理解	Reading comprehension 読む理解	
Overall **oral comprehension** 総括的な口頭での理解	Watching TV, film and **video** テレビ、映画、動画を観る	Overall reading comprehension 総括的な読む理解	Identifying cues and inferring 手がかりを特定する、推測する
Understanding conversation between **other people** 他者の間の会話を理解する		Reading correspondence 通信を読む	
Understanding as a member of a live audience その場の聴衆の一人として理解する		Reading for orientation 方向付けのために読む	
Understanding announcements and instructions アナウンスや指示を理解する		**Reading for information and argument** 情報、論点のために読む	
Understanding audio (or signed) media and recordings 音声(または手話による)メディア、録音を理解する		Reading instructions 指示を読む	
		Reading as a leisure activity 余暇の活動として読む	

Production 産出（CEFR-CV: 61-70）		
Production activities 産出活動		Production strategies 産出の方略
Oral production 口頭での産出	Written production 筆記での産出	
Overall oral production 総括的な口頭での産出	Overall written production 総括的な筆記での産出	Planning 計画する
Sustained monologue: describing experience 持続的な独話：経験を語る	Creative writing 創作する	Compensating 補う
Sustained monologue: giving information 持続的な独話：情報を提供する	Reports and essays 報告書、随筆／小論	Monitoring and repair モニターする、修正する
Sustained monologue: putting a case (e.g. in a debate) 持続的な独話：論述する（例．ディベートで）		
Public announcements 公共アナウンス		
Addressing audiences 聴衆に向かって話す		

Interaction 相互行為（CEFR-CV: 71-89）

Interaction activities 相互行為活動

Oral interaction 口頭での相互行為	Written interaction 筆記での相互行為
Overall **oral** interaction 総括的な口頭での相互行為	Overall written interaction 総括的な筆記での相互行為
Understanding **an interlocutor** 対話者を理解する	Correspondence 通信
Conversation 会話	Notes, messages and forms メモ、メッセージ、用紙
Informal discussion (with friends) 非公式の話し合い（友達と）	
Formal discussion (meetings) 公式の話し合い（会議）	
Goal-oriented co-operation (cooking together, discussing a document, organising an event, etc.) 目標志向の共同作業（一緒に料理する、文書を検討する、イベントを企画運営する、など）	
Obtaining goods and services 商品、サービスを得る	
Information exchange 情報交換	
Interviewing　and being interviewed インタビューする、インタビューを受ける	
Using telecommunications 遠隔通信を用いる	

Online interaction オンラインでの相互行為	Interaction strategies 相互行為の方略
Online conversation and discussion オンラインでの会話、話し合い	Turntaking ターンテイキング
Goal-oriented online transactions and collaboration 目標志向のオンラインでの取引、協働	Co-operating 共同する
	Asking for clarification 明確化を求める

Mediation 仲介（CEFR-CV: 90-122）		
Overall mediation 総括的な仲介		
		Mediation activities 仲介活動
Mediating a text テキストの仲介	Mediating concepts 概念の仲介	
	Collaborating in a group グループ内で協働する	Leading group work グループ活動を導く
Relaying specific information 特定の情報を伝達する	Facilitating collaborative interaction with peers 仲間との協働的な相互行為を促進する	Managing interaction 相互行為を管理する
Explaining data (in graphs, diagrams, etc.) データを説明する（グラフ、図表などの）	Collaborating to construct meaning 意味構築に向けて協働する	Encouraging conceptual talk 概念的な話を奨励する
Processing text テキストを処理する		
Translating a written text 書かれたテキストを翻訳する		
Note-taking (lectures, seminars, meetings, etc.) ノートテイキング（講義、セミナー、会議など）		
Expressing a personal response to creative texts (including literature) 創作テキストへの個人的な感想を表現する（文学を含む）		
Analysis and criticism of creative texts (including literature) 創作テキストの分析、批評（文学を含む）		

	Mediation strategies 仲介の方略	
Mediating communication コミュニケーションの仲介	Strategies to explain a new concept 新しい概念を説明する方略	Strategies to simplify a text テキストを簡略化する方略
Facilitating pluricultural space 複文化的な空間を促進する	Linking to previous knowledge 先行知識と関連付ける	Amplifying a dense text 濃い内容のテキストを詳説する
Acting as an intermediary in informal situations (with friends and colleagues) 非公式の場面で仲介者として行動する（友達、同僚と）	Adapting language 言語を適応させる	Streamlining a text テキストをスリム化する
Facilitating communication in delicate situations and disagreements デリケートな状況、意見が一致していない場面でコミュニケーションを促進する	Breaking down complicated information 複雑な情報を分けて示す	

2. 【複言語・複文化能力】（CEFR-CV, Chapter 4: 123-128）

Plurilingual and pluricultural competence 複言語・複文化能力		
Building on pluricultural repertoire 複文化レパートリーを構築する	Plurilingual comprehension 複言語的な理解	Building on plurilingual repertoire 複言語レパートリーを構築する

3. 【コミュニケーション言語能力】（CEFR-CV, Chapter 5: 129-142）

Communicative language competences　コミュニケーション言語能力		
Linguistic competence 言語的能力	**Sociolinguistic competence** 社会言語的能力	**Pragmatic competence** 言語運用能力
General linguistic range 全般的な言語使用域	Sociolinguistic appropriateness 社会言語的な適切さ	Flexibility 柔軟性
Vocabulary range 語彙の範囲		Turntaking ターンテイキング
Grammatical accuracy 文法的正確さ		Thematic development 話題の展開
Vocabulary control 語彙の制御		Coherence and cohesion 一貫性と結束性
Phonological control 音韻の制御		Propositional precision 叙述の精確さ
Orthographic control 正書法の制御		**Fluency** 流暢さ

4.【手話能力】（CEFR-CV, Chapter 6: 143-169）

手話能力		
Linguistic competence 言語的能力	**Sociolinguistic competence** 社会言語的能力	**Pragmatic competence** 言語運用能力
Sign language repertoire (receptive/productive) 手話言語レパートリー（受容的／産出的）	Sociolinguistic appropriateness and cultural repertoire (receptive/productive) 社会言語的な適切さと文化レパートリー（受容的／産出的）	Signing text structure (receptive/productive) テキストの構造を表す（受容的／産出的）
Diagrammatical accuracy (receptive/productive) 図式的な正確さ（受容的／産出的）		Setting and perspectives (receptive/productive) 設定と視点（受容的／産出的）
		Language awareness and interpretation (receptive) 言語認識と解釈（受容的）
		Presence and effect (productive) 存在と効果（産出的）
		Processing speed (receptive) 処理の速さ（受容的）
		Signing fluency (productive) 手話の流暢さ（産出的）

おわりに

―ラウンドテーブルにようこそ―

CEFR 2001年のNotes for the userには、CEFRの目的が二つ明記されています。

> 学習者を含む、すべての言語教育に関わる人たちが、自分の言語活動、言語活動の成果、言語能力を高める方法、言語使用を支援する方法などについて考察することを促すこと　(CEFR: xi)

> 学習者に何を達成させたいのか、どのように達成させようとしているのかを、実践者がお互いに伝え合い、そして学習者にも伝えやすくすること　(CEFR: xi)

CEFRおよびCEFR-CVには、この二つの目的を達成するために必要なさまざまな考え方や素材が例示されています。そして、実践者に対して、CEFRおよびCEFR-CVを活用して学習者のニーズ、動機、特性、リソースなどを分析し、学習者のニーズから見て価値があり、かつ、学習者の特性やリソースから見て現実的な目標を立てて実践していくこと、そして、一つ一つの実践に根拠を与え、他の多くの実践者や学習者と明確かつ明示的に共有していくことを奨励しています。このCEFRの二つの目的には、学習者や教師をはじめ、教育行政、試験機関、教科書作成者、出版社など、ことばの学びに関わるすべての人々がそれぞれに活動を進めつつも、CEFRを参照することで目的や目標が共有され、首尾一貫した支援や学びを実現していくことへの期待が表れているといえるでしょう。

筆者らは、これらの考えを、あらゆる実践者がCEFRという大きなラウンドテーブルに着席してともに語り合いながら実践を進める姿であると考えています。

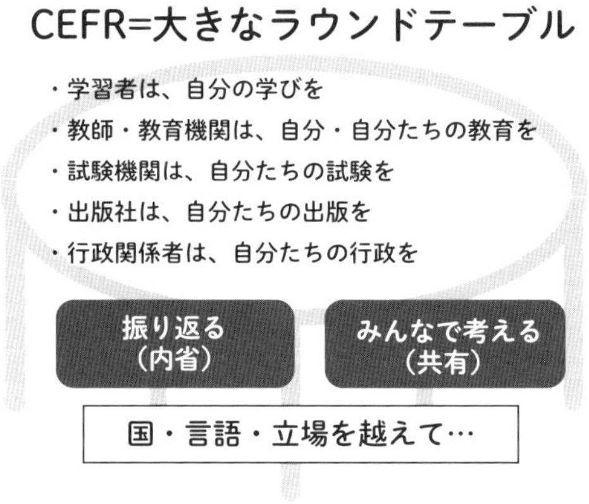

CEFR=大きなラウンドテーブル

・学習者は、自分の学びを
・教師・教育機関は、自分・自分たちの教育を
・試験機関は、自分たちの試験を
・出版社は、自分たちの出版を
・行政関係者は、自分たちの行政を

振り返る（内省）　みんなで考える（共有）

国・言語・立場を越えて…

本書が、読者の皆さんにとって、このラウンドテーブルに集うきっかけとなるよう願っています。

ラウンドテーブルにようこそ！

櫻井直子・奥村三菜子

2023年11月

文献

奥村三菜子・櫻井直子・鈴木裕子 編著（2016）『日本語教師のための CEFR』くろしお出版

櫻井直子（2021）「ヨーロッパの日本語教育の変容と展望―CEFR の受容と浸透から―」『日本語教育』178 号，51-65.

櫻井直子・奥村三菜子（2021）「*CEFR Companion Volume with New Descriptors* における「仲介」に関する考察」『日本語教育』178 号，154-169.

西山教行（2018）「CEFR の増補版計画について」『言語政策』第 14 号，77-80.

西山教行・大山万容 編（2023）『複言語教育の探究と実践』くろしお出版

Candelier, M., Camilleri-Grima, A., Castellotti, V., de Pietro, J. F., Lőrincz, I., Meißner, F. J., Noguerol, A. & Schröder-Sura, A.（2012）*A Framework of Reference for Pluralistic Approaches to Languages and Cultures: Competences and resources.* European Centre for Modern Languages of the Council of Europe.
〈https://www.ecml.at/Portals/1/documents/ECMl-resources/CARAP-EN.pdf〉（2023.1.22）

Council of Europe（2001）*Common European Framework of Reference for Languages: Learning, teaching, assessment.*
〈https://rm.coe.int/1680459f97〉（2023.3.20）

Council of Europe（2018a）*Collated Representative Samples of Descriptors of Language Competences Developed for Young Learners - Resource for educators.* Volume 1: Ages 7-10, 2018 Edition.
〈https://rm.coe.int/collated-representative-samples-descriptors-young-learners-volume-1-ag/16808b1688〉（2023.1.14）

Council of Europe（2018b）*Collated Representative Samples of Descriptors of Language Competences Developed for Young Learners - Resource for educators.* Volume 2: Ages 11-15, 2018 Edition.
〈https://rm.coe.int/collated-representative-samples-descriptors-young-learners-volume-2-ag/16808b1689〉（2023.1.14）

Council of Europe（2020）*Common European Framework of Reference for Languages: Learning, teaching, assessment - Companion volume.*
〈https://rm.coe.int/common-european-framework-of-reference-for-languages-learning-teaching/16809ea0d4〉（2023.3.20）

Coste, D. & Cavalli, M.（2015）Education, Mobility, Otherness: The Mediation Functions of Schools.
〈https://rm.coe.int/education-mobility-otherness-the-mediation-functions-of-schools/16807367ee〉（2023.3.14）

日本語訳：姫田麻利子（2019）
<https://rm.coe.int/1680947f0d>（2023.7.24）

Gibson, James J.（1966）*The senses considered as perceptual systems*. Boston: Houghton Mifflin.

Goullier, F.（2007）*Council of Europe tools for language teaching: Common European Framework and Portfolios*. Paris: Didier.

North, B., & Piccardo, E.（2016）Developing illustrative descriptors of aspects of mediation for the Common European Framework of Reference（CEFR）: A Council of Europe project. *Language Teaching,* 49(03), 455-459.

Piccardo, E.（2016）*Common European Framework of Reference for Languages: Learning, teaching, assessment - Phonological scale revision process report*. Council of Europe.
〈https://rm.coe.int/168073fff9〉（2023.1.22）

索引

A

あ

か

さ

た

な

は

や

ら

櫻井直子（さくらい なおこ）

ルーヴェン・カトリック大学、専任講師。
1980 年代から日本語教育に携わり、1989 年より現職。1997 年 9 月にベルギー日本語教師会を設立し、2022 年 8 月まで会長を務める。CEFR 公開時より CEFR を参照した日本語教育のカリキュラム作成および実践に取り組み、CEFR に関する執筆、プロジェクトの実施および参加、講演、ワークショップを欧州各地および日本で行う。主な CEFR 関連の著書に、「言語教育機関における CEFR 文脈化の意義―ベルギー成人教育機関での実践例からの考察―」細川英雄・西山教行編『複言語・複文化主義とは何か―ヨーロッパの理念・状況から日本における受容・文脈へ―』（第 5 章：くろしお出版, 2010 年）、『日本語教師のための CEFR』（共編著：くろしお出版, 2016 年）がある。

奥村三菜子（おくむら みなこ）

NPO 法人 YYJ・ゆるくてやさしい日本語のなかまたち、副理事。
1990 年代から主に海外の教育機関において日本語教育および継承日本語教育に携わる。1999 年に赴任したドイツで CEFR と出会い、以来、CEFR を参照した教育実践、研究活動、ワークショップ等を行う。2013 年以降は、日本の日本語教育機関で CEFR を応用した教育実践や教師研修等を行っている。主な CEFR 関連の著書に、『日本語教師のための CEFR』（共編著：くろしお出版, 2016 年）、「欧州における継承日本語教育と欧州言語共通参照枠（CEFR）」近藤ブラウン妃美・坂本光代・西川朋美編『親と子をつなぐ継承語教育―日本・外国にルーツを持つ子ども』（12 章：くろしお出版，2019 年）がある。

CEFR-CV（セフアール シーヴイ）とことばの教育

発　行　2024 年　1 月 18 日　初版第 1 刷発行
　　　　2024 年 12 月 18 日　　　第 2 刷発行

著　者　櫻井直子（さくらい なおこ）・奥村三菜子（おくむら みなこ）
発行人　岡野秀夫
発行所　株式会社くろしお出版
　　　　〒 102-0084　東京都千代田区二番町 4-3
　　　　TEL: 03-6261-2867　FAX: 03-6261-2879

装　丁　仁井谷伴子　　印刷所　藤原印刷

© Naoko SAKURAI, and Minako OKUMURA, 2024, Printed in Japan
ISBN 978-4-87424-963-5 C0081
● 乱丁・落丁はおとりかえいたします。本書の無断転載・複製を禁じます。